KB092610

논·술·한·국·대·표·문·학

34

무진기행

김승옥 | 윤흥길 | 구인환 | 이문구

기억 속의 들꽃 · 숨쉬는 영정 · 화무십일 외

H 훈민출판사

서울 남산에서 내려다본 한강 전경. 〈서울, 1964년 겨울〉은 4 · 19 혁명이 실패로 돌아간 후의 좌절감 속에서 쓰여졌다.

The Best Korean Literature

'새로운 감수성의 혁명', 1960년대 초 김승옥이 〈무진기행〉이란 작품을 발표했을 때 세상이 그에게 보낸 찬사와 놀라움의 표현이 그것이었다. 전후 문학의 암울함이 지배하던 당시에 김승옥이 보여 준 감성과 도시적 우수는 한국 문학사에 있어 하나의 사건이었다.

윤흥길은 급속한 근대화 과정에서 발생한 가치관의 부재와, 삶의 중심에서 밀려나 있는 변두리 소시민들의 삶을 생생하게 묘사하고 있다. 특히 그의 연작인 〈아홉 켤레의 구두로 남은 사내〉는 1970년대 한국 문단에 큰 충격을 준 작품으로 남아 있다.

〈판잣집 그늘〉로 소설가 오영수의 추천을 받고 문단에 나온 구인환은, 잃어버린 낙원과 삶의 원형을 찾고자 애쓰는 현대인의 고민을 표현해 왔다. 간결한 문체와 고백체의 문장, 이미지에 의한 사건 전개 등이 구인환 소설의 특징이다.

서울 강남구에 있는 선정능에서(1986년). 김승옥은 〈동아일보〉에 장편 〈먼지의 방〉을 연재하던 중, 기독교에 귀의하면서 작품 활동을 일시 중단했다.

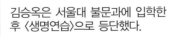

김승옥은 서울대 불문과에 입학한 후 〈생명연습〉으로 등단했다.

1966년에 출판된 〈서울, 1964년 겨울〉의 표지

책이 빼곡하게 쌓인 서재에서 창작에 몰두하고 있는 이문구

The Best Korean Literature

연작 〈관촌수필〉을 발표하면서 작가로서의 역량을 보여 준 이문구는, 농민과 도시 빈민들을 주인공으로 내세워 우리 사회 내부에 도사리고 있는 모순과 갈등을 드러내 보인다. 특히 그는 농촌 사회의 해체에 주목하는데, 이전의 농민과는 다른 새로운 농민상을 그려 냈다.

집필실에서의 윤흥길. 윤흥길은 창작에만 몰두하기 위하여 따로 집필실을 마련하여 두고 출퇴근을 하면서 글을 썼다.

구인환(丘仁煥)

서울대학교 사범대학 졸업. 동 대학원 졸업(문학박사)
서울대학교 명예교수, 소설가(현). 서울대학교 사범대학 국어교육연구소 소장(현)
문학과문학교육연구소 소장(현). 국제펜 한국본부 부회장(현)
한국소설문학상(1987) 예술문화대상(1994) 한국문학상(2000)
작품 〈숨쉬는 영정〉, 〈살아 있는 날들〉, 〈일어서는 산〉 외 다수

- **저서** ≪한국단편소설의 이해≫, ≪한국현대소설의 비평적 성찰≫,
  ≪고교생이 알아야 할 소설≫, ≪고교생이 알아야 할 세계단편소설≫ 외 다수

윤병로(尹柄魯)

성균관대학교 국어국문학과 졸업. 동 대학원 졸업(문학박사)
성균관대학교 교수, 문학평론가(현). 한국현대소설학회장(현)
한국문예학술저작권협회 이사(현). 한국간행물윤리위원회 위원(현)
한국펜 문학상(1987). 한국문학상(1988). 대한민국문학상(1989)
수필집 ≪나의 작은 애인들≫

- **저서** ≪현대 작가론≫, ≪한국 현대 소설의 탐구≫,
  ≪한국 근대 작가 작품 연구≫, ≪한국 현대작가의 문제작 평설≫ 외 다수

홍성암(洪性岩)

고려대학교 국어국문학과 졸업. 한양대학교 대학원 국어국문학과 졸업(문학박사)
동덕여자대학교 교수, 소설가(현). 한국문인협회 회원(현)
한국소설가협회 이사(현). 국제펜 한국본부 소설분과 이사(현). 한민족 문화학회 회장(현)
창작집 ≪큰 물로 가는 큰 고기≫, ≪어떤 귀향≫ 외
대하역사소설 ≪남한산성≫(전9권) 외 다수

- **저서** ≪문학의 이해≫, ≪현대 작가론≫, ≪한국 근대 역사소설 연구≫ 외 다수

기
획
·
감
수

경기도 화성군 향남면 행정리로 내려가 있을 당시 자택의 대문간에서. 신문을 읽고 있는 이문구의 모습이 한가로워 보인다.

논술 한국대표문학을 펴내며

21세기의 사회는 '**전자 문명 시대**'라 일컬어질 만큼 오늘날 전자 산업은 우리 생활의 거의 모든 분야에 다양하게 응용되고 있습니다. 출판 분야 또한 예외는 아니어서, 종래의 서책(Book) 대신에 이른바 '전자책(CD-ROM)'의 출간이 최근 들어 날로 증가하고 있습니다.

그러나 이러한 전자책은 영상 또는 모니터상으로 흥미 위주나 백과사전식 지식을 습득하는 데는 효과적일지 모르지만, 문학 공부를 위해서는 별로 도움이 되지 않습니다. 바꾸어 말하면, 문학 공부는 각 지면마다 살아 숨쉬는 표현 하나하나를 독자 자신의 머리로 음미하면서 작품을 읽어 나가는 가운데, 풍부한 상상력의 배양과 함께 작가의 의도와 그 작품의 내면을 깊이 있게 이해함으로써 이루어지는 것입니다.

이에 훈민출판사에서는, 자라나는 학생들이 범람하는 영상 매체에 길들여지기 전에, 어려서부터 유명한 세계문학 작품들을 책자를 통하여 감명 깊게 읽고 감상함으로써, 올바른 문학 공부의 기틀을 다지고, 아울러 전인 교육도 할 수 있도록 《논술 한국대표문학(전60권)》을 펴내게 되었습니다.

작품 선정은, 초·중·고등학교 국어 교과서와 역사 교과서에 실리거나 소개된 문학 작품을 중심으로 하되, 그리스 신화와 성경 이야기 등의 고전에서부터 중세·근대·현대에 이르기까지 세르반테스·셰익스피어·톨스토이 등 세계 유명 작가들의 장·단편 소설들을 엄선·수록하였습니다. 또 세계의 명시도 별권으로 엮었으며, 특히 각 단락마다 '**논술 문제**'를 제시하여, 장차 대학입시를 비롯한 각종 '논술 고사'에 예비 지식을 쌓을 수 있도록 배려하였습니다. 아무쪼록, 이 《논술 한국대표문학(전60권)》이 자라나는 학생들에게 문학 공부의 주춧돌이 되고, 나아가 미래를 살아가는 데 **정신적 자양분**이 되기를 진심으로 바라 마지않습니다.

훈민출판사

차례

김승옥

무진기행

서울, 1964년 겨울

지은이

1941~ 일본 오사카에서 태어나, 전남 순천에서 자랐다. 서울대 불문과에서
공부한 후 1962년에 《한국일보》 신춘문예에 단편 〈생명연습〉이 당선되면서
문단에 등장하였다. 그의 작품은 윤리적 세계관으로 삶을 이해하는 창작방법
을 거부하고 새로운 감수성을 나타냈다는 평을 받았으며, 많지는 않지만 문학
사에서 빼놓을 수 없는 명작을 남겼다.

무진기행

무진으로 가는 버스

버스가 산모퉁이를 돌아갈 때 나는 '무진(Mujin) 10km'라는 이정비를 보았다. 그것은 옛날과 똑같은 모습으로 길가의 잡초 속에서 튀어나와 있었다. 내 뒷좌석에 앉아 있는 사람들 사이에서 다시 시작된 대화를 나는 들었다.

"앞으로 10킬로 남았군요."

"예, 한 삼십 분 후엔 도착할 겁니다."

그들은 농사 관계의 시찰원들인 듯했다. 아니, 그렇지 않은지도 모른다. 그러나 하여튼 그들은 색무늬 있는 반소매 샤쓰를 입고 있었고, 데드롱 직의 바지를 입었고, 지나쳐 오는 마을과 들과 산에서 아마 농사 관계의 전문가들이 아니면 할 수 없는 관찰을 했고, 그것을 전문적인 용어로 얘기하고 있었다. 광주에서 기차를 내려서 버스로 갈아탄 이래, 나는 그들이 시골 사람들답지 않게 낮은 목소리로 점잔을 빼면서 얘기하는 것을 반수면 상태 속에서 듣고 있었다. 버스 안의 좌석들은 많이 비어 있었다. 그 시찰원들의 대화에 의하면, 농번기이기 때문에 사람들이 여행을 할 틈이 없어서라는 것이었다.

"그 무진엔 명산물이…… 뭐 별로 없지요?"

그들은 대화를 계속하고 있었다.

"별게 없지요. 그러면서도 이렇게 많은 사람들이 살고 있다는 건 좀 이상스럽거든요."

"바다가 가까이 있으니 항구로 발전할 수도 있었을 텐데요."

"가 보시면 아시겠지만 그럴 조건이 되어 있는 것도 아닙니다. 수심이 얕은데다가 그런 얕은 바다를 몇백 리나 밖으로 나가야만 비로소 수평선이 보이는 진짜 바다다운 바다가 나오는 곳이니까요."

"그럼 역시 농촌이군요."

"그렇다고 이렇다 할 평야가 있는 것도 아닙니다."

"그럼 그 오륙만이 되는 인구가 어떻게들 살아가나요?"

"그러니까 그럭저럭이란 말이 있는 게 아닙니까?"

그들은 점잖게 소리내어 웃었다.

"원, 아무리 그렇지만 한 고장에 명산물 하나쯤은 있어야지."

웃음 끝에 한 사람이 말하고 있었다.

무진에 명산물이 없는 게 아니다. 나는 그것이 무엇인지 알고 있다. 그것은 안개다. 아침에 잠자리에서 일어나서 밖으로 나오면, 밤사이에 진주해온 적군들처럼 안개가 무진을 뼁 둘러싸고 있는 것이었다. 무진을 둘러싸고 있던 산들도 안개에 의하여 보이지 않는 먼 곳으로 유배당해 버리고 없었다. 안개는 마치 이승에 한이 있어서 매일 밤 찾아오는 여귀가 뿜어내 놓은 입김과 같았다. 해가 떠오르고, 바람이 바다 쪽으로 방향을 바꾸어 불어 가기 전에는 사람들의 힘으로써는 그것을 헤쳐 버릴 수가 없었다. 손으로 잡을 수 없으면서도 그것은 뚜렷이 존재했고, 사람들을 둘러쌌고, 먼 곳에 있는 것으로부터 사람들을 떼어 놓았다. 안개, 무진의 안개, 무진의 아침에 사람들이 만나는 안개, 사람들로 하여금 해를, 바람을 간절히 부르게 하는 무진의 안개, 그것이 무진의 명산물이 아닐 수 있을까!

버스의 덜커덩거림이 좀 덜해졌다. 버스의 덜커덩거림이 더하고 덜하는 것을 나는 턱으로 느끼고 있었다. 나는 몸에서 힘을 빼고 있었으므로 버스가 자갈이 깔린 시골길을 달려오고 있는 동안 내 턱은 버스가 껑충거리는 데 따라서 함께 덜그럭거리고 있었다. 턱이 덜그럭거릴 정도로 몸에서 힘을 빼고 버스를 타고 있으면, 긴장해서 버스를 타고 있을 때보다 피로가 더욱 심해진다는 것을 알고 있었지만, 그러나 열려진 차창으로 들어와서 나의 밖으로 드러난 살갗을 사정없이 간질이고 불어가는 유월의 바람이 나를 반수면 상태로 끌어넣었기 때문에, 나는 힘을 주고 있을 수가 없었다. 바람은 무수히 작은 입자로 되어 있고 그 입자들은 할 수 있는 한 욕심껏 수면제를 품고 있는 것처럼 내게는 생각되었다. 그 바람 속에는, 신선한 햇볕과 아직 사람들의 땀에 밴 살갗을 스쳐 보지 않았다는 천진스러운 저온, 그리고 지금 버스가 달리고 있는 길을 에워싸며 버스를 향하여 달려오고 있는 산줄기의 저편에 바다가 있다는 것을 알리는 소금기, 그런 것들이 이상스레 한데 어울리면서 녹아 있었다. 햇볕의 신선한 밝음과, 살갗에 탄력을 주는 정도의 공기의 저온, 그리고 해풍에 섞여 있는 정도의 소금기, 이 세 가지만 합성해서 수면제를 만들어낼 수 있다면 그것은 이 지상에 있는 모든 약방의 진열장 안에 있는 어떠한 약보다도 가장 상쾌한 약이 될 것이고, 그리고 나는 이 세계에서 가장 돈 잘 버는 제약 회사의 전무님이 될 것이다. 왜냐하면, 사람들은 누구나 조용히 잠들고 싶어하고 조용히 잠든다는 것은 상쾌한 일이기 때문이다…….

그런 생각을 하자 나는 쓴웃음이 나왔다. 동시에 무진이 가까웠다는 것이 더욱 실감되었다. 무진에 오기만 하면 내가 하는 생각이란 항상 그렇게 엉뚱한 공상들이었고 뒤죽박죽이었던 것이다. 다른 어느 곳에서도 하지 않았던 엉뚱한 생각을, 나는, 무진에서는 아무런 부끄럼 없이,

거침없이 해내곤 했었던 것이다. 아니, 무진에서는 내가 무엇을 생각하고 어쩌고 하는 게 아니라, 어떤 생각이 나의 밖에서 제멋대로 이루어진 뒤 나의 머릿속으로 밀고 들어오는 듯했었다.

"당신 안색이 아주 나빠져서 큰일났어요. 어머님의 산소에 다녀온다는 핑계를 대고 무진에 며칠 동안 계시다가 오세요. 주주 총회에서의 일은 아버지하고 저하고 다 꾸며 놓을게요. 당신은 오랜만에 신선한 공기를 쐬고, 그리고 돌아와 보면 대 회생제약회사의 전무님이 되어 있을 게 아니에요?"

라고 며칠 전날 밤, 아내가 나의 파자마 깃을 손가락으로 만지작거리며 나에게 진심에서 나온 권유를 했을 때도, 가기 싫은 심부름을 억지로 갈 때 아이들이 불평을 하듯이 내가 몇 마디를 입안엣소리로 투덜댄 것도, 무진에서는 항상 자신을 상실하지 않을 수 없었던 과거의 경험에 의한 조건반사였다.

내가 좀 나이가 든 뒤로 무진에 간 것은 몇 차례 되지 않았지만, 그 몇 차례 되지 않은 무진행이 그러나 그 때마다 내게는 서울에서의 실패로부터 도망해야 할 때거나 하여튼 무언가 새 출발이 필요할 때였다. 새 출발이 필요할 때 무진으로 간다는 그것은 우연이 결코 아니었고, 그렇다고 무진에 가면 내게 새로운 용기라든가 새로운 계획이 술술 나오기 때문도 아니었었다. 오히려 무진에서의 나는 항상 처박혀 있는 상태였었다. 더러운 옷차림과 누런 얼굴로 나는 항상 골방 안에서 뒹굴었다. 내가 깨어 있는 때는, 수없이 많은 시간의 대열이 멍하니 서 있는 나를 비웃으며 흘러가고 있었고, 내가 잠들어 있을 때는 긴긴 악몽들이 거꾸러져 있는 나에게 혹독한 채찍질을 하였었다. 나의 무진에 대한 연상의 대부분은, 나를 돌봐 주고 있는 노인들에 대하여 신경질을 부리던 것과, 골방 안에서의 공상과 불면을 쫓아 보려고 행하던 수음과, 곧잘

편도선을 붓게 하던 독한 담배꽁초와 우편 배달부를 기다리던 초조함 따위거나 그것들에 관련된 어떤 행위들이었다. 물론 그것들만 연상되었던 것은 아니다. 서울의 어느 거리에서고 나의 청각이 문득 외부로 향하면 무자비하게 쏟아져 들어오는 소음에 비틀거릴 때거나, 밤늦게 신당동 집 앞의 포장된 골목을 자동차로 올라갈 때, 나는 물이 가득한 강물이 흐르고 잔디로 덮인 방죽이 시오리 밖의 바닷가까지 뻗어나가 있고, 작은 숲이 있고, 다리가 많고, 골목이 많고, 흙담이 많고, 높은 포플러가 에워싼 운동장을 가진 학교들이 있고, 바닷가에서 주워온 까만 자갈이 깔린 뜰을 가진 사무소들이 있고, 대로 만든 와상이 밤거리에 나앉아 있는 시골을 생각했고, 그것은 무진이었다. 문득 한적이 그리울 때도 나는 무진을 생각했다. 그러나 그럴 때의 무진은 내가 관념 속에서 그리고 있는 어느 아늑한 장소일 뿐이지, 거기엔 사람들이 살고 있지 않았다. 무진이라고 하면 그것에의 연상은 아무래도 어둡던 나의 청년이었다.

그렇다고 무진에의 연상이 꼬리처럼 항상 나를 따라다녔다는 것은 아니다. 차라리 나의 어둡던 세월이 일단 지나가 버린 지금은 나는 거의 항상 무진을 잊고 있었던 편이다. 어제저녁 서울역에서 기차를 탈 때에도, 물론 전송나온 아내와 회사 직원 몇 사람에게 일러둘 말이 너무 많아서 거기에 정신이 쏠려 있던 탓도 있었겠지만, 하여튼 나는 무진에 대한 그 어두운 기억들이 그다지 실감나게 되살아오지는 않았다. 그런데 오늘 이른 아침, 광주에서 기차를 내려서 역 구내를 빠져나올 때 내가 본 한 미친 여자가 어두운 기억들을 휙 잡아 끌어당겨서 내 앞에 던져 주었다. 그 미친 여자는 나일론의 치마저고리를 맵시 있게 입고 있었고, 팔에는 시절에 맞추어 고른 듯한 핸드백도 걸치고 있었다. 얼굴도 예쁜 편이고 화장이 화려했다. 그 여자가 미친 사람이라는 것을 알 수 있는 것은 쉬임없이 굴리고 있는 눈동자와 그 여자를 에워싸고 서서 선하품을 하며 그 여자를 놀려 대고 있는 구두닦이 아이들 때문이었다.

"공부를 많이 해서 돌아 버렸대."

"아냐, 남자한테서 채여서야."

"저 여자 미국말도 참 잘한다. 물어볼까?"

아이들은 그런 얘기를 높은 목소리로 하고 있었다. 좀 나이가 든 여드름쟁이 구두닦이 하나는 그 여자의 젖가슴을 손가락으로 집적거렸고, 그럴 때마다 그 여자는 여전히 무표정한 얼굴로 비명만 지르고 있었다. 그 여자의 비명이, 옛날 내가 무진의 골방 속에서 쓴 일기의 한 구절을 생각나게 한 것이었다.

그 때는 어머니가 살아 계실 때였다. 6·25 사변으로 대학의 강의가 중단되었기 때문에, 서울을 떠나는 마지막 기차를 놓친 나는 서울에서 무진까지의 천여 리 길을 발가락이 몇 번이고 부르터지도록 걸어서 내려왔고, 어머니에 의해서 골방에 처박혔고, 의용군의 징발도, 그 후의 국군의 징병도 모두 기피해 버리고 있었다. 내가 졸업한 무진의 중학교의 상급반 학생들이 무명지에 붕대를 감고 '이 몸이 죽어서 나라가 선다면……'을 부르며 읍 광장에 서 있는 트럭들로 행진해 가서 그 트럭들에 올라타고 일선으로 떠날 때도 나는 골방 속에 쭈그리고 앉아서 그들의 행진이 집 앞을 지나가는 소리를 듣고만 있었다. 전선이 북쪽으로 올라가고 대학이 강의를 시작했다는 소식이 들려왔을 때도 나는 무진의 골방 속에 숨어 있었다. 모두가 나의 홀어머님 때문이었다. 모두가 전쟁터로 몰려갈 때 나는 내 어머니에게 몰려서 골방 속에 숨어서 수음을 하고 있었다. 이웃집 젊은이의 전사 통지가 오면 어머니는 내가 무사한 것을 기뻐했고, 이따금 일선의 친구에게서 군사 우편이 오기라도 하면 나 몰래 그것을 찢어 버리곤 하였었다. 내가 골방보다는 전선을 택하고 싶어하는 것을 알고 있었기 때문이었다. 그 무렵에 쓴 나의 일기장들은 그 후에 태워 버려서 지금은 없지만, 모두가 스스로를 모멸하고 오욕을 웃으며 견디는 내용들이었다. '어머니, 혹시 제가 지금 미친다면 대강 다음과 같은 원인들 때문일 테니 그 점에 유의하셔서 저를 치료해 보십시오……' 이러한 일기를 쓰던 때를, 이른 아침 역 구내에서 본 미친 여자가 내 앞으로 끌어당겨 주었던 것이다. 무진이 가까웠다는 것을 나는 그 미친 여자를 통하여 느꼈고, 그리고 방금 지나친, 먼지를 둘러쓰고 잡초 속에서 튀어나와 있는 이정비를 통하여 실감했다.

"이번에 자네가 전무가 되는 건 틀림없는 거구, 그러니 자네 한 일주일 동안만 시골에 내려가서 긴장을 풀고 푹 쉬었다가 오게. 전무님이 되면 책임이 더 무거워질 테니 말야."

아내와 장인 영감은 자신들은 알지 못하는 사이에 퍽 영리한 권유를 내게 한 셈이었다. 내가 긴장을 풀어 버릴 수 있는, 아니, 풀어 버릴 수밖에 없는 곳을 무진으로 정해준 것은 대단히 영리한 짓이었다. 버스는 무진 읍내로 들어서고 있었다. 기와 지붕들도, 양철 지붕들도, 초가 지붕들도 유월 하순의 강렬한 햇볕을 받고 모두 은빛으로 번쩍이고 있었다. 철공소에서 들리는 쇠망치 두드리는 소리가 잠깐 버스로 달려들었다가 물러났다. 어디선지 분뇨 냄새가 새어 들어왔고, 병원 앞을 지날 때는 크레졸 냄새가 났고, 어느 상점의 스피커에서는 느려 빠진 유행가가 흘러나왔다. 거리는 텅 비어 있었고 사람들은 처마 밑의 그늘에 쭈그리고 앉아 있었다. 어린아이들은 빨가벗고 기우뚱거리며 그늘 속을 걸어다니고 있었다. 읍의 포장된 광장도 거의 텅 비어 있었다. 햇볕만이 눈부시게 그 광장 위에서 끓고 있었고 그 눈부신 햇볕 속에서, 정적 속에서 개 두 마리가 혀를 빼물고 교미를 하고 있었다.

밤에 만난 사람들

저녁 식사를 하기 조금 전에 나는 낮잠에서 깨어나서 신문 지국들이 몰려 있는 거리로 갔다. 이모님 댁에서는 신문을 구독하고 있지 않았다. 그렇지만 신문은, 도회인이 누구나 그렇듯이 이제 내 생활의 일부로서 내 하루의 시작과 끝을 맡아보고 있었던 것이다. 내가 찾아간 신문 지국에 나는 이모님 댁의 주소와 약도를 그려 주고 나왔다. 밖으로 나올 때, 나는 내 등 뒤에서 지국 안에 있던 사람들이 그들끼리 무어라고 수군거리는 소리를 들었다. 아마 나를 알고 있는 사람들이었던 모양이다.

"그래애? 거만하게 생겼는데……."

"……출세했다지……?"

"……옛날……폐병……."

그런 속삭임 속에서, 나는 밖으로 나오면서 은근히 한 마디를 기다리고 있었다. 그러나 결국 '안녕히 가십시오'는 나오지 않고 말았다. 그것이 서울과의 차이점이었다. 그들은 이제 점점 수군거림의 소용돌이 속으로 끌려 들어가고 있으리라. 자기 자신조차 잊어버리면서, 나중에 그 소용돌이 밖으로 내던져졌을 때 자기들이 느낄 공허감도 모른다는 듯이 그들은 수군거리고 수군거리고 또 수군거리고 있으리라. 바다가 있는 쪽에서 바람이 불어오고 있었다. 몇 시간 전에 버스에서 내릴 때보다 거리는 많이 번잡해졌다. 학생들이 학교에서 돌아오고 있었다. 그들은 책가방이 주체스러운 모양인지 그것을 뱅뱅 돌리기도 하며 어깨 너머로 넘겨 들기도 하며 두 손으로 껴안기도 하며, 혀끝에 침으로써 방울을 만들어서 그것을 입바람으로 혹 불어 날리곤 했다. 학교 선생들과 사무소의 직원들도 달그락거리는 빈 도시락을 들고 축 늘어져서 지나가고 있었다. 그러자 나는 이 모든 것이 장난처럼 생각되었다. 학교에 다닌다는 것, 학생들을 가르친다는 것, 사무소에 출근했다가 퇴근한다는 이 모든 것이 실없은 장난이라는 생각이 든 것이다. 사람들이 거기에 매달려서 끙끙댄다는 것이 우습게 생각되었다.

이모 댁으로 돌아와서 저녁을 먹고 있을때, 나는 방문을 받았다. 박이라고 하는 무진 중학교의 내 몇 해 후배였다. 한때 독서광이었던 나를 그 후배는 무척 존경하는 눈치였다. 그는 학생 시절에 이른바 문학소년이었던 것이다. 미국의 작가인 피츠제럴드를 좋아한다고 하는 그 후배는 그러나 피츠제럴드의 팬답지 않게 아주 얌전하고 매사에 엄숙하였고, 그리고 가난하였다.

"신문 지국에 있는 제 친구에게서 내려오셨다는 얘길 들었습니다. 웬일이십니까?"

그는 정말 반가워해 주었다.

"무진엔 왜 내가 못 올 덴가?"

그렇게 대답하며 나는 내 말투가 마음에 거슬렸다.

"너무 오랫동안 오시지 않으니까 그러는 거죠. 제가 군대에서 막 제대했을 때 오시고 이번이 처음이시니까 벌써……."

"벌써 한 사 년 되는군."

사 년 전 나는, 내가 경리의 일을 보고 있던 제약 회사가 좀더 큰 다른 회사와 합병되는 바람에 일자리를 잃고 무진으로 내려왔던 것이다. 아니, 단지 일자리를 잃었다는 이유만으로 서울을 떠났던 것은 아니다. 동거하고 있던 희만 그대로 내 곁에 있어 주었던들 실의의 무진행은 없었으리라.

"결혼하셨다더군요?" 박이 물었다.

"흐응. 자넨?"

"전 아직. 참 좋은 데로 장가드셨다고들 하더군요."

"그래? 자넨 왜 여태 결혼하지 않고 있나? 자네 금년에 어떻게 되지?"

"스물아홉입니다."

"스물아홉이라. 아홉 수가 원래 사납다고 하데만, 금년엔 어떻게 해보지그래?"

"글쎄요."

박은 소년처럼 머리를 긁었다. 사 년 전이니까 그 해의 내 나이가 스물아홉이었고, 희가 내 곁에서 달아나 버릴 무렵에 지금 아내의 전남편이 죽었던 것이다.

"무슨 나쁜 일이 있었던 건 아니겠죠?"

옛날의 내 무진행의 내용을 다소 알고 있는 박은 그렇게 물었다.

"응, 아마 승진이 될 모양인데 며칠 휴가를 얻었지."

"잘되셨군요. 해방 후의 무진중학 출신 중에선 형님이 제일 출세하셨다고들 하고 있어요."

"내가?" 나는 웃었다.

"예, 형님하고 형님 동기 중에서 조형하고요."

"조라니, 나하고 친하게 지내던 애 말인가?"

"예. 그 형이 재작년엔가 고등고시에 패스해서 지금 여기 세무서장으로 있거든요."

"아, 그래?"

"모르셨어요?"

"서로 소식이 별로 없었지. 그 애가 옛날엔 여기 세무서에서 직원으로 있었지, 아마?"

"네."

"그거 잘됐군. 오늘 저녁엔 그 친구에게나 가 볼까?"

친구 조는 키가 작았고 살결이 검은 편이었다. 그래서 키가 크고 살결이 창백한 나에게 열등감을 느낀다는 얘기를 내게 곧잘 했었다.

'옛날에 손금이 나쁘다고 판단받은 소년이 있었다. 그 소년은 자기의 손톱으로 손바닥에 좋은 손금을 파 가며 열심히 일했다. 드디어 그 소년은 성공해서 잘살았다.'

조는 이런 얘기에 가장 감격하는 친구였다.

"참 자넨 요즘 뭘 하고 있나?"

내가 박에게 물었다. 박은 얼굴을 붉히고 잠시 동안 머뭇거리다가 모교에서 교편을 잡고 있다고, 그것이 무슨 잘못이라도 되는 것처럼 우물거리며 대답했다.

"좋지 않아? 책 읽을 여유가 있으니까 얼마나 좋은가. 난 잡지 한 권 읽을 여유가 없네. 무얼 가르치고 있나?"

후배는 내 말에 용기를 얻었는지 아까보다는 조금 밝은 목소리로 대답했다.

"국어를 가르치고 있습니다."

"잘했어. 학교측에서 보면 자네 같은 선생을 구하기가 힘들 거야."

"그렇지도 않아요. 사범대학 출신들 때문에 교원자격고시 합격증 가지고 견디기가 힘들어요."

"그게 또 그런가?"

박은 아무 말 없이 다만 씁쓸한 미소만 지어 보였다.

저녁 식사 후, 우리는 술 한잔씩을 마시고 나서 세무서장이 된 조의 집을 향하여 갔다. 거리는 어두컴컴했다. 다리를 건널 때 나는 냇가의 나무들이 어슴푸레하게 물 속에 비쳐 있는 것을 보았다. 옛날 언젠가, 역시 이 다리를 밤중에 건너면서 나는 저 시커멓게 웅크리고 있는 나무들을 저주했었다. 금방 소리를 지르며 달려들 듯한 모습으로 나무들은 서 있었던 것이다. 세상에 나무가 없다면 얼마나 좋을까 하고 생각하기도 했었다.

"모든 게 여전하군." 내가 말했다.

"그럴까요?" 후배가 웅얼거리듯이 말했다

조의 응접실에는 손님들이 네 사람 있었다. 나의 손을 아프도록 쥐고 흔들고 있는 조의 얼굴이 옛날보다 윤택해지고 살결도 많이 하얘진 것을 나는 보고 있었다.

"어서 자리로 앉아라. 이거 원 누추해서…… 빨리 마누랄 얻어야겠는데……."

그러나 방은 결코 누추하지 않았다.

"아니, 아직 결혼 안했나?" 내가 물었다.

"법률책 좀 붙들고 앉아 있었더니 그렇게 돼 버렸어. 어서 앉아."

나는 먼저 온 손님들에게 소개되었다. 세 사람은 남자로서 세무서 직원들이었고, 한 사람은 여자로서 나와 함께 온 박과 무언가 얘기를 주고받고 있었다.

"어어, 밀담들은 그만하시고, 하 선생, 인사해요. 내 중학 동창인 윤희중이라는 친굽니다. 서울에 있는 큰 제약 회사의 간사님이시고 이쪽은 우리 모교에 와 계시는 음악 선생님이시고. 하인숙 씨라고, 작년에 서울에서 음악대학을 나오신 분이지."

"아, 그러세요. 같은 학교에 계시는군요."

나는 박과 그 여선생을 번갈아 가리키며 여선생에게 말했다.

"네."

여선생은 방긋 웃으며 대답했고 내 후배는 고개를 숙여 버렸다.

"고향이 무진이신가요?"

"아녜요. 발령이 이 곳으로 났기 땜에 저 혼자 와 있는 거예요."

그 여자는 개성 있는 얼굴을 가지고 있었다. 윤곽은 갸름했고 눈이 컸고 얼굴색은 노리끼했다. 전체로 보아서 병약한 느낌을 주고 있었지만, 그러나 좀 높은 콧날과 두꺼운 입술이 병약하다는 인상을 버리도록 요구하고 있었다. 그리고 카랑카랑한 목소리가 코와 입이 주는 인상을 더욱 강하게 하고 있었다.

"전공이 무엇이었던가요?"

"성악 공부 좀 했어요."

"그렇지만 하 선생님은 피아노도 아주 잘 치십니다."

박이 곁에서 조심스런 목소리로 끼어들었다. 조도 거들었다.

"노래를 아주 잘하시지. 소프라노가 아주 굉장하시거든."

"아, 소프라노를 맡으시는가요?" 내가 물었다.

"네. 졸업 연주회 땐 '나비부인' 중에서 '어떤 갠 날'을 불렀어요."

그 여자는 졸업 연주회를 그리워하고 있는 듯한 음성으로 말했다.

방바닥에는 비단 방석이 놓여 있고 그 위에는 화투짝이 흩어져 있었다. 무진이다. 곧 입술을 태울 듯이 타들어가는 담배꽁초를 입에 물고 눈으로 들어오는 그 담배 연기 때문에 눈물을 찔끔거리며 눈을 가늘게 뜨고, 이미 정오가 가까운 시각에야 잠자리에서 일어나서 그 날의 허황한 운수를 점쳐 보던 그 화투짝이었다. 혹은, 자신을 팽개치듯이 끼어들던 언젠가의 노름판, 그 노름판에서 나의 뜨거워져 가는 머리와 떨리는 손가락만을 제외하곤 내 몸을 전연 느끼지 못하게 만들던 그 화투짝이었다.

"화투가 있군, 화투가."

나는 한 장을 집어서 소리가 나게 내려치고 다시 그것을 집어서 내려치고 또 집어서 내려치고 하며 중얼거렸다.

"우리 돈내기 한판 하실까요?"

세무서 직원 중의 하나가 내게 말했다. 나는 싫었다.

"다음 기회에 하지요."

세무서 직원들은 싱글싱글 웃었다. 조가 안으로 들어갔다가 나왔다. 잠시 후에 술상이 나왔다.

"여기엔 얼마쯤 있게 되나?"

"일주일 가량."

"청첩장 한 장 없이 결혼해 버리는 법이 어디 있어? 하기야 청첩장을 보냈더라도 그 땐 내가 세무서에서 주판알 퉁기고 있을 때니까 별수도 없었겠지만 말이다."

"난 그랬지만 넌 청첩장 보내야 한다."

"염려 마라. 금년 안으로는 받아볼 수 있게 될 거다."

우리는 별로 거품이 일지 않는 맥주를 마셨다.

"제약 회사라면 그게 약 만드는 데 아닙니까?"

"그렇죠."

"평생 병 걸릴 염려는 없겠습니다그려."

굉장히 우스운 익살을 부렸다는 듯이 직원들은 방바닥을 치며 오랫동안 웃었다.

"참 박군, 학생들한테서 인기가 대단하더구먼…… 기껏 오 분쯤 걸어 오면 될 거리에 살면서 나한테 왜 통 놀러 오지 않았나?"

"늘 생각은 하고 있었습니다만……."

"저기 앉아 계시는 하 선생님한테서 자네 얘긴 늘 듣고 있었지…… 자, 하선생, 맥주는 술도 아니니까 한잔 들어 봐요. 평소엔 그렇지도 않던데 오늘 저녁엔 왜 이렇게 얌전을 피우실까?"

"네 네, 거기 노세요. 제가 마시겠어요."

"맥주는 좀 마셔 봤겠지요?"

"대학 다닐 때 친구들과 어울려서 방문을 안으로 잠가 놓고 소주도 마셔 본걸요."

"이거 술꾼인 줄은 몰랐는데."

"마시고 싶어서 마신 게 아니라 시험삼아서 맛 좀 본 거예요."

"그래서 맛이 어떻습디까?"

"모르겠어요. 술잔을 입에서 떼자마자 쿨쿨 자 버렸으니까요."

사람들이 웃었다. 박만이 억지로 웃는 듯한 웃음이었다.

"내가 항상 생각하는 바지만, 하 선생님의 좋은 점은 바로 저기에 있거든. 될 수 있으면 얘기를 재미있게 하려고 한다는 점, 바로 그거야."

"일부러 재미있게 하려고 하는 게 아녜요. 대학 다닐 때의 말버릇이에요."

"아하, 그러고 보면 하 선생의 나쁜 점은 바로 저기 있어. '내가 대학 다닐 때' 라는 말을 빼놓곤 얘기가 안 됩니까? 나처럼 대학엔 문전에도 가 보지 못한 사람은 서러워서 살겠어요?"

"죄송합니다."

"그럼 내게 사과하는 뜻에서 노래 한 곡 들려 주시겠어요?"

"그거 좋습니다."

"좋지요."

"한번 들어봅시다."

사람들이 박수를 쳤다. 여선생은 머뭇거렸다.

"서울 손님도 오고 했으니까…… 그 지난번에 부르던 거 참 좋습디다." 조는 재촉했다.

"그럼 부릅니다."

여선생은 거의 무표정한 얼굴로 입을 조금만 달싹거리며 노래를 부르기 시작했다. 세무서 직원들이 손가락으로 술상을 두드리기 시작했다. 여선생은 '목포의 눈물'을 부르고 있었다. '어떤 갠 날'과 '목포의 눈물' 사이에는 얼만큼의 유사성이 있을까? 무엇이 저 아리아들로써 길들여진 성대에서 유행가를 나오게 하고 있을까? 그 여자가 부르는 '목포의 눈물'에는 작부들이 부르는 그것에서 들을 수 있는 것과 같은 꺾임이 없었고, 대체로 유행가를 살려 주는 목소리의 갈라짐이 없었고, 흔히 유행가가 내용으로 하는 청승맞음이 없었다. 그렇다고 '나비부인' 중의 아리아는 더욱 아니었다. 그것은 이전에는 없었던 어떤 새로운 양식의 노래였다. 그 양식은 유행가가 내용으로 하는 청승맞음과는 다른, 좀더 무자비한 청승맞음을 포함하고 있었고 '어떤 갠 날'의 그 절규보다도 훨씬 높은 옥타브의 절규를 포함하고 있었고, 그 양식에는 머리를 풀어 헤친 광녀의 냉소가 스며 있었고, 무엇보다도 시체가 썩어 가는 듯한 무진의 그 냄새가 스며 있었다.

그 여자의 노래가 끝나자 나는 의식적으로 바보 같은 웃음을 띠고 박수를 쳤고, 그리고 육감으로써랄까, 나는 후배인 박이 이 자리에서 떠나고 싶어하는 것을 알았다. 나의 시선이 박에게로 갔을 때, 나의 시선을 받은 박은 기다렸다는 듯이 자리에서 일어났다. 누군지가 그에게 앉아 있기를 권했으나 박은 해사한 웃음을 띠며 거절했다.

"먼저 실례합니다. 형님은 내일 또 뵙지요."

조는 대문까지 따라나왔고 나는 한길까지 박을 바래다 주려고 나갔다. 밤이 깊지 않았는데도 거리는 적막했다. 어디선가 개짖는 소리가 들려왔고, 쥐 몇 마리가 한길 위에서 무엇을 먹고 있다가 우리의 그림자에 놀라 흩어져 버렸다.

"형님, 보세요. 안개가 내리는군요."

과연 한길의 저 끝이, 불빛이 드문드문 박혀 있는 저 주택지의 검은 풍경들이 점점 풀어져 가고 있었다.

"자네, 하 선생을 좋아하고 있는 모양이군?"

내가 물었다. 박은 다시 그 해사한 웃음을 띠었다.

"그 여선생과 조군과 무슨 관계가 있는 모양이지?"

"모르겠습니다. 아마 조형이 결혼 대상자 중의 하나로 생각하고 있는 것 같아요."

"자네가 그 여선생을 좋아한다면 좀더 적극적으로 나가야 해. 잘 해 봐."

"뭐 별로……." 박은 소년처럼 말을 더듬거렸다.

"그 속물들 틈에 앉아서 유행가를 부르고 있는 게 좀 딱해 보였을 뿐이지요. 그래서 나와 버린 거죠."

박은 분노를 누르고 있는 듯이 나직나직 말했다.

"클래식을 부를 장소가 있고 유행가를 부를 장소가 따로 있다는 것뿐이겠지. 뭐 딱할 거까지야 있나?"

나는 거짓말로써 그를 위로했다. 박은 가고 나는 다시 '속물'들 틈에 끼였다. 무진에서는 누구나 그렇게 생각하는 것이다. 타인은 모두 속물들이라고. 나 역시 그렇게 생각하는 것이다. 타인이 하는 모든 행위는 무위와 똑같은 무게밖에 가지고 있지 않은 장난이라고.

밤이 퍽 깊어서 우리는 자리에서 일어났다. 조는 내가 자기 집에서 자고 가기를 권했다. 그러나 다음날 아침에 잠자리에서 일어나서 그 집을 나올 때까지의 부자유스러움을 생각하고 나는 기어코 밖으로 나섰다. 직원들도 도중에서 흩어져 가고 결국엔 나와 여자만이 남았다. 우리는 다리를 건너고 있었다. 검은 풍경 속에서 냇물은 하얀 모습으로 뻗어 있었고, 그 하얀 모습의 끝은 안개 속으로 사라지고 있었다.

"밤엔 정말 멋있는 고장이에요." 여자가 말했다.

"그래요? 다행입니다." 내가 말했다.

"왜 다행이라고 말씀하시는 줄 짐작하겠어요." 여자가 말했다.

"어느 정도까지 짐작하셨어요?" 내가 물었다.

"사실은 멋이 없는 고장이니까요. 제 대답이 맞았어요?"

"거의."

우리는 다리를 다 건넜다. 거기서 우리는 헤어져야 했다. 그 여자는 냇물을 따라서 뻗어나간 길로 가야 했고 나는 곧장 난 길로 가야 했다.

"아, 글루 가세요? 그럼……." 내가 말했다.

"조금만 바래다 주세요. 이 길은 너무 조용해서 무서워요."

여자가 조금 떨리는 목소리로 말했다. 나는 다시 여자와 나란히 서서 걸었다. 나는 갑자기 이 여자와 친해진 것 같았다. 다리가 끝나는 바로 거기에서부터, 그 여자가 정말 무서워서 떠는 듯한 목소리로 내게 바래다 주기를 청했던 바로 그 때부터 나는 그 여자가 내 생애 속에 끼어든 것을 느꼈다. 내 모든 친구들처럼, 이제는 모른다고 할 수 없는, 때로는 내가 그들을 훼손하기도 했지만, 그러나 더욱 많이 그들이 나를 훼손시켰던 내 모든 친구들처럼.

"처음에 뵈었을 때, 뭐랄까요, 서울 냄새가 난다고 할까요. 퍽 오래 전부터 알던 사람처럼 느껴졌어요. 참 이상하죠?"

갑자기 여자가 말했다.

"유행가." 내가 말했다.

"네?"

"아니, 유행가는 왜 부르십니까? 성악 공부한 사람들은 될 수 있는 대로 유행가를 멀리하지 않았던가요?"

"그 사람들은 항상 유행가만 부르라고 하거든요."

대답하고 나서 여자는 부끄러운 듯이 나지막하게 소리내어 웃었다.

"유행가를 부르지 않으려면 거기에 가지 않는 게 좋다고 얘기하면 내정 간섭이 될까요?"

"정말 앞으론 가지 않을 작정이에요. 정말 보잘것없는 사람들이에요."

"그럼 왜 여태까진 거기에 놀러 다녔습니까?"

"심심해서요."

여자는 힘없이 말했다. 심심하다, 그래 그게 가장 정확한 표현이다.

"아까 박군은 하 선생님께서 유행가를 부르고 계시는 게 보기에 딱하다고 하면서 나가 버렸지요."

나는 어둠 속에서 여자의 얼굴을 살폈다.

"박 선생님은 정말 꽁생원이에요."

여자는 유쾌한 듯이 높은 소리로 웃었다.

"선량한 사람이죠." 내가 말했다.

"네, 너무 선량해요."

"박군이 하 선생님을 사랑하고 있다는 생각을 해 본 적은 없었던가요?"

"아이, '하 선생님 하 선생님' 하지 마세요. 오빠라고 해도 제 큰 오빠뻘이나 되실 텐데요."

"그럼 무어라고 부릅니까?"

"그냥 제 이름을 불러 주세요. 인숙이라고요."

"인숙이, 인숙이." 나는 낮은 소리로 중얼거려 보았다.

"그게 좋군요." 나는 말했다.

"인숙인 왜 내 질문을 피하지요?"

"무슨 질문을 하셨던가요?"

여자는 웃으면서 말했다. 우리는 논 곁을 지나가고 있었다. 언젠가 여름밤, 멀고 가까운 논에서 들려오는 개구리들의 울음소리를, 마치 수많은 비단조개 껍데기를 한꺼번에 맞비빌 때 나는 듯한 소리를 듣고 있을 때 나는 그 개구리 울음소리들이 나의 감각 속에서 반짝이고 있는, 수없이 많은 별들로 바뀌어져 있는 것을 느끼곤 했었다. 청각의 이미지가 시각의 이미지로 바뀌어지는 이상한 현상이 나의 감각 속에서 일어나곤 했던 것이다. 개구리 울음소리가 반짝이는 별들이라고 느낀 나의 감각은 왜 그렇게 뒤죽박죽이었을까. 그렇지만 밤하늘에서 쏟아질 듯이 반짝이고 있는 별들을 보고 개구리의 울음소리가 귀에 들려오는 듯했었던 것은 아니다. 별들을 보고 있으면 나는 나와 어느 별과 그리고 그 별과 또 다른 별들 사이의 안타까운 거리가, 과학책에서 배운 바로써가 아니라, 마치 나의 눈이 점점 정확해져 가고 있는 듯이, 나의 시력에 뚜렷하게 보여 오는 것이었다. 나는 그 도달할 길 없는 거리를 보는 데 흘려서 멍하니 서 있다가 그 순간 속에서 그대로 가슴이 터져 미쳐 버리는 것 같았었다. 왜 그렇게 못 견디어했을까. 별이 무수히 반짝이는 밤하늘을 보고 있던 옛날, 나는 왜 그렇게 분해서 못 견디어했을까.

"무얼 생각하고 계세요?" 여자가 물어 왔다.

"개구리 울음소리."

대답하며 나는 밤하늘을 올려봤다. 내리고 있는 안개에 가려서 별들이 흐릿하게 떠 보였다.

"어머, 개구리 울음소리. 정말예요. 제겐 여태까지 개구리 울음소리가 들리지 않았어요. 무진의 개구리는 밤 열두 시 이후에만 우는 줄로 알고 있었는데요."

"열두 시 이후에요?"

"네, 밤 열두 시가 넘으면, 제가 방을 얻어 있는 주인 댁의 라디오 소리도 꺼지고, 들리는 거라곤 개구리 울음소리뿐이거든요."

"밤 열두 시가 넘도록 잠을 자지 않고 무얼 하시죠?"

"그냥 가끔 그렇게 잠이 오지 않아요."

그냥 그렇게 잠이 오지 않는다, 아마 그건 사실이리라.

"사모님 예쁘게 생기셨어요?"

여자가 갑자기 물었다.

"제 아내 말씀인가요?"

"네."

"예쁘죠." 나는 웃으면서 대답했다.

"행복하시죠? 돈이 많고 예쁜 부인이 있고 귀여운 아이들이 있고 그러면……."

"아이들은 아직 없으니까 쬐금 덜 행복하겠군요."

"어머, 결혼을 언제 하셨는데 아직 아이들이 없어요?"

"이제 삼 년 좀 넘었습니다."

"특별한 용무도 없이 여행하시면서 왜 혼자 다니세요?"

이 여자는 왜 이런 질문을 할까? 나는 조용히 웃어 버렸다. 여자는 아까보다 좀더 명랑한 목소리로 말했다.

"앞으로 오빠라고 부를 테니까 절 서울로 데려가 주시겠어요?"

"서울에 가고 싶으신가요?"

"네."

"무진이 싫은가요?"

"미칠 것 같아요. 금방 미칠 것 같아요. 서울엔 제 대학 동창들도 많고…… 아이, 서울로 가고 싶어 죽겠어요."

여자는 잠깐 내 팔을 잡았다가 얼른 놓았다. 나는 갑자기 흥분되었다. 나는 이마를 찡그렸다. 찡그리고 찡그리고 또 찡그렸다. 그러자 흥분이 가셨다.

"그렇지만 이젠 어딜 가도 대학 시절과는 다를걸요. 인숙은 여자니까 아마 가정으로나 숨어 버리기 전에는 어느 곳에 가든지 미칠 것 같을 걸요."

"그런 생각도 해 봤어요. 그렇지만 지금 같아선 가정을 갖는다고 해도 미칠 것 같은 생각이 들어요. 정말 맘에 드는 남자가 아니면요. 정말 맘에 드는 남자가 있다고 해도 여기서는 살기가 싫어요. 전 그 남자에게 여기서 도망하자고 조를 거예요."

"그렇지만 내 경험으로는 서울에서의 생활이 반드시 좋지도 않더군요. 책임, 책임뿐입니다."

"그렇지만 여긴 책임도 무책임도 없는 곳인걸요. 하여튼 서울에 가고 싶어. 절 데려가 주시겠어요?"

"생각해 봅시다."

"꼭이에요, 네?"

나는 그저 웃기만 했다. 우리는 그 여자의 집 앞에까지 왔다.

"선생님, 내일은 무얼 하실 계획이세요?"

여자가 물었다.

"글쎄요. 아침엔 어머님 산소엘 다녀와야 하겠고, 그러고 나면 할 일이 없군요. 바닷가에나 가 볼까 하는데요. 거긴 한때 내가 방을 얻어 있던 집이 있으니까 인사도 할 겸."

"선생님, 거긴 내일 오후에 가세요."

"왜요?"

"저도 같이 가고 싶어요. 내일은 토요일이니까 오전 수업뿐이에요."

"그럽시다."

우리는 내일 만날 시간과 장소를 약속하고 헤어졌다. 나는 이상한 우울에 빠져서 터벅터벅 밤길을 걸어 이모 댁으로 돌아왔다.

내가 이불 속으로 들어갔을 때 통금 사이렌이 불었다. 그것은 갑작스럽게 요란한 소리였다. 그 소리는 길었다. 모든 사물이, 모든 사고가 그 사이렌에 흡수되어 갔다. 마침내 이 세상에선 아무것도 없어져 버렸다. 사이렌만이 세상에 남아 있었다. 그 소리도 마침내 느껴지지 않을 만큼 오랫동안 계속할 것 같았다. 그 때 소리가 갑자기 힘을 잃으면서 꺾였고 길게 신음하며 사라져 갔다. 내 사고만이 다시 살아났다. 나는 얼마 전까지 그 여자와 주고받던 얘기들을 다시 생각해 보려 했다. 많은 것을 얘기한 것 같은데, 그러나 귓속에는 우리의 대화가 몇 개 남아 있지 않았다. 좀더 시간이 지난 후, 그 대화들이 내 귓속에서 내 머릿속으로 자리를 옮길 때는, 그리고 머릿속에서 심장 속으로 옮겨갈 때는 또 몇 개가 더 없어져 버릴 것인가. 아니, 결국엔 모두 없어져 버릴지도 모른다. 천천히 생각해 보자. 그 여자는 서울에 가고 싶다고 했다. 그 말을 그 여자는 안타까운 음성으로 얘기했다. 나는 문득 그 여자를 껴안고 싶은 충동에 사로잡혔다. 그리고…… 아니, 내 심장에 남을 수 있는 것은 그것뿐이었다. 그러나 그것도 일단 무진을 떠나기만 하면 내 심장 위에서 지워져 버리리라. 나는 잠이 오지 않았다. 낮잠 때문이기도 하였다. 나는 어둠 속에서 담배를 피웠다. 나는 우울한 유령들처럼 나를 내려다보고 있는 벽에 걸린 하얀 옷들을 흘겨보고 있었다. 나는 담뱃재를 머리맡의 적당한 곳에 떨었다. 내일 아침 걸레로 닦아내면 될 어느 곳에. '열두 시 이후에 우는' 개구리 울음소리가 희미하게 들려오고 있었다. 어디선가 한 시를 알리는 시계 소리가 나직이 들려왔다. 어디선가 두 시를 알리는 시계 소리가 들려왔다. 어디선가 세 시를 알리는 시계 소리가 들려왔다. 어디선가 네 시를 알리는 시계 소리가 들려왔다. 잠시 후에 통금 해제의 사이렌이 불었다. 시계와 사이렌 중 어느 것 하나가 정확하지 못했다. 사이렌은 갑작스럽고 요란한 소리였다. 그 소리는 길었다. 모든 사물이, 모든 사고가 그 사이렌에 흡수되어 갔다. 마침내 이 세상에선 아무것도 없어져 버렸다. 사이렌만이 세상에 남아 있었다. 그 소리도 마침내 느껴지지 않을 만큼 오랫동안 계속할 것 같았다. 그 때 소리가 갑자기 힘을 잃으면서 꺾였고 길게 신음하며 사라져 갔다. 어디 선가 부부들은 교합하리라. 아니다. 부부가 아니라 창부와 그 여자의 손 님이리라. 나는 왜 그런 엉뚱한 생각을 하고 있는지 알 수 없었다. 잠시 후에 나는 슬며시 잠이 들었다.

바다로 뻗은 긴 방죽

그 날 아침엔 이슬비가 내리고 있었다. 식전에 나는 우산을 받쳐 들 고 읍 근처의 산에 있는 어머니의 산소로 갔다. 나는 바지를 무릎 위까 지 걷어 올리고 비를 맞으며 묘를 향하여 엎드려 절했다. 비가 나를 굉 장한 효자로 만들어 주었다. 나는 한 손으로 묘 위의 긴 풀을 뜯었다. 풀을 뜯으면서 나는, 나를 전무님으로 만들기 위하여 전무 선출에 관계 된 사람들을 찾아다니며 그 호걸 웃음을 웃고 있을 장인 영감을 상상했 다. 그러자 나는 묘 속으로 들어가고 싶었다.

돌아가는 길은, 좀 멀기는 하지만 잔디가 곱게 깔린 방죽 길을 걷기 로 했다. 이슬비가 바람에 뿌옇게 날리고 있었다. 비를 따라서 풍경이 흔들렸다. 나는 우산을 접어 버렸다. 방죽 위를 걸어가다가 나는, 방죽 의 경사 밑, 물가의 풀밭에, 읍에서 먼 촌으로부터 등교하기 위하여 온 학생들이 모여서 웅성거리고 있는 것을 보았다. 나이 많은 사람들이 몇 사람 끼여 있었고, 비옷을 입은 순경 한 사람이 방죽의 비탈 위에 쭈그 리고 앉아서 담배를 피우며 먼 곳을 바라보고 있었고, 노파 한 사람이 혀를 차며 웅성거리고 있는 학생들의 틈을 빠져나와서 갔다. 나는 방

죽의 비탈을 내려갔다. 순경 곁을 지나면서 나는 물었다.

"무슨 일입니까?"

"자살 시쳅니다." 순경은 흥미없는 말투로 말했다.

"누군데요?"

"읍내에 있는 술집 여잡니다. 초여름이 되면 반드시 몇 명씩 죽지요."

"네에."

"저 계집애는 아주 독살스러운 년이어서 안 죽을 줄 알았더니, 저것
도 별수 없는 사람이었던 모양입니다."

"네에."

나는 물가로 내려가서 학생들 틈에 끼였다. 시체의 얼굴은 냇물을 향
하고 있었으므로 내게는 보이지 않았다. 머리는 파마였고 팔과 다리가
하얗고 굵었다. 붉은색의 얇은 스웨터를 입고 있었고 하얀 스커트를 입
고 있었다. 지난밤의 새벽은 추웠던 모양이다. 아니면 그 옷이 그 여자
의 맘에 든 옷이었던가 보다. 푸른 꽃무늬가 있는 하얀 고무신을 머리
에 베고 있었다. 무엇인가를 싼 하얀 손수건이 그 여자의 축 늘어진 손
에서 좀 떨어진 곳에 굴러 있었다. 하얀 손수건은 비를 맞고 있었고 바
람이 불어도 조금도 나부끼지 않았다. 시체의 얼굴을 보기 위해서 많은
학생들이 냇물 속에 발을 담그고 이쪽을 향하여 서 있었다. 그들의 푸
른색 유니폼이 물에 거꾸로 비쳐 있었다. 푸른색의 깃발들이 시체를 옹
위하고 있었다. 나는 그 여자를 향하여 이상스레 정욕이 끓어오름을 느
꼈다. 나는 급히 그 자리를 떠났다.

"무슨 약을 먹었는지 모르지만 지금이라도 어쩌면……."

순경에게 내가 말했다.

"저런 여자들이 먹는 건 청산가립니다. 수면제 몇 알 먹고 떠들썩한
연극 같은 건 안하지요. 그것만은 고마운 일이지만."

나는 무진으로 오는 버스 안에서 수면제를 만들어 팔겠다는 공상을 한 것이 생각났다. 햇볕의 신선한 밝음과, 살갗에 탄력을 주는 정도의 공기의 저온, 그리고 해풍에 섞여 있는 정도의 소금기, 이 세 가지를 합성하여 수면제를 만들 수 있다면……그러나 사실 이 수면제는 이미 만들어져 있었던 게 아닐까. 나는 문득, 내가 간밤에 잠을 이루지 못하고 뒤척거리고 있었던 게 이 여자의 임종을 지켜 주기 위해서가 아니었을까 하는 생각이 들었다. 통금 해제의 사이렌이 불고, 이 여자는 약을 먹고, 그제야 나는 슬며시 잠이 들었던 것만 같다. 갑자기 나는 이 여자가 나의 일부처럼 느껴졌다. 아프긴 하지만 아끼지 않으면 안 될 내 몸의 일부처럼 느껴졌다. 나는 접어 든 우산에 묻은 물을 휙휙 뿌리면서 집으로 돌아왔다. 집에는 세무서장인 조가 보낸 쪽지가 기다리고 있었다. '할 일 없으면 세무서에 좀 들러 주게.' 아침밥을 먹고 나는 세무서로 갔다. 이슬비는 그쳤으나 하늘은 흐렸다. 나는 조의 의도를 알 것 같았다. 서장실에 앉아 있는 자기의 모습을 보여 주고 싶은 거다. 아니, 내가 비꼬아서 생각하고 있는지 모른다. 나는 고쳐 생각하기로 했다. 그는 세무서장으로 만족하고 있을까? 아마 만족하고 있을 게다. 그는 무진에 어울리는 사람이다. 아니, 나는 다시 고쳐 생각하기로 했다. 어떤 사람을 잘 안다는 것——아는 체한다는 것이 그 어떤 사람의 입장에서 보면 무척 불행한 일이다. 우리가 비난할 수 있고 적어도 평가하려고 드는 것은 우리가 알고 있는 사람에 한하는 것이기 때문이다.

조는 러닝셔츠 바람으로, 바지는 무릎 위까지 걷어붙이고 부채를 부치고 있었다. 나는 그가 초라해 보였고, 그러나 그가 흰 커버를 씌운 회전 의자에 앉아 있는 것을 자랑스러워하는 듯한 몸짓을 해 보일 때는 그가 가엾게 생각되었다.

"바쁘지 않나?" 내가 물었다.

"나야 뭐 하는 일이 있어야지. 높은 자리라는 건 책임진다는 말만 중얼거리고 있으면 되는 모양이지."

그러나 그는 결코 한가하지 않았다. 여러 사람들이 드나들면서 서류에 조의 도장을 받아 갔고, 더 많은 서류들이 그의 미결함에 쌓여졌다.

"월말에다가 토요일이 되어서 좀 바쁘다."

그는 말했다. 그러나 그의 얼굴은 그 바쁜 것을 자랑스럽게 여기고 있었다. 바쁘다. 자랑스러워할 틈도 없이 바쁘다. 그것은 서울에서의 나였다. 그만큼 여기는 생활한다는 것에 서투를 수 있다고나 할까? 바쁘다는 것도 서투르게 바빴다. 그리고 그 때 나는, 사람이 자기가 하는 일에 서투르다는 것은, 그것이 무슨 일이든지 설령 도둑질이라고 할지라도, 서투르다는 것은 보기에 딱하고 보는 사람을 신경질나게 한다고 생각하였다. 미끈하게 일을 처리해 버린다는 건 우선 우리를 안심시켜 준다.

"참, 엊저녁, 하 선생이란 여자는 네 색싯감이냐?" 내가 물었다.

"색싯감?"

그는 높은 소리로 웃었다.

"내 색싯감이 그 정도로밖에 안 보이냐?" 그가 말했다.

"그 정도가 뭐 어때서?"

"야, 이 약아 빠진 놈아, 넌 빽 좋고 돈 많은 과부를 물어 놓고 기껏 내가 어디서 굴러온 줄도 모르는 말라 빠진 음악 선생이나 차지하고 있으면 맘이 시원하겠다는 거냐?"

말하고 나서 그는 유쾌해 죽겠다는 듯이 웃어 대었다.

"너만큼만 사는 정도라면 여자가 거지라도 괜찮지 않아?"

내가 말했다.

"그래도 그게 아냐, 내 편에 나를 끌어 줄 사람이 없으면 처가 편에서라도 누가 있어야 하는 거야."

그가 대답했다. 그의 말투로는 우리는 공모자였다.

"야, 세상 우습더라. 내가 고시에 패스하자마자 중매쟁이가 막 들어오는데…… 그런데 그게 모두 형편없는 것들이거든. 도대체 여자들이 성기 하나를 밑천으로 해서 시집가 보겠다는 고 배짱들이 괘씸하단 말야."

"그럼 그 여선생도 그런 여자 중의 하나인가?"

"아주 대표적인 여자지. 어떻게나 쫓아다니는지 귀찮아 죽겠다."

"퍽 똑똑한 여자일 것 같던데."

"똑똑하기야 하지. 그렇지만 뒷조사를 해 보았더니 집안이 너무 허술해. 그 여자가 여기서 죽는다고 해도 고향에서 그를 데리러 올 사람 하나 변변한 게 없거든."

나는 그 여자를 어서 만나 보고 싶었다. 나는 그 여자가 지금 어디서 죽어 가고 있는 것처럼 생각되었다. 어서 가서 만나 보고 싶었다.

"속도 모르는 박군은 그 여자를 좋아한대."

그가 말하면서 빙긋 웃었다.

"박군이!" 나는 놀라는 체했다.

"그 여자에게 편지를 보내어 호소를 하는데 그 여자가 모두 내게 보여 주거든. 박군은 내게 연애 편지를 쓰는 셈이지."

나는 그 여자를 만나 보고 싶은 생각이 싹 가셨다. 그러나 잠시 후엔 그 여자를 어서 만나 보고 싶다는 생각이 되살아났다.

"지난봄엔 그 여잘 데리고 절엘 한 번 갔었지. 어떻게 해 보려고 했는데, 요 영리한 게 결혼하기 전까지는 절대로 안 된다는 거야."

"그래서?"

"무안만 당하고 말았지."

나는 그 여자에게 감사했다.

시간이 됐을 때 나는 그 여자와 만나기로 한, 읍내에서 좀 떨어진, 바다로 뻗어나가고 있는 방죽으로 갔다. 노란 파라솔 하나가 멀리 보였다. 그것이 그 여자였다. 우리는 구름이 낀 하늘 밑을 나란히 걸어갔다.

"저 오늘 박 선생님께 선생님에 관해서 여러 가지 물어봤어요."

"그래요?"

"무얼 제일 중요하게 물어보았을 거 같아요?"

나는 전연 짐작할 수가 없었다. 그 여자는 잠시 동안 키득키득 웃었다. 그리고 말했다.

"선생님 혈액형을 물어봤어요."

"내 혈액형을요?"

"전 혈액형에 대해서 이상한 믿음을 가지고 있어요. 사람들이 꼭 자기의 혈액형이 나타내 주는――그 생물책에 씌어 있지 않아요?――꼭 그 성격대로이기만 했으면 좋겠어요. 그럼 세상엔 손가락으로 꼽을 정도의 성격밖에 없을 게 아니에요?"

"그게 어디 믿음입니까? 희망이지."

"전 제가 바라는 것은 그대로 믿어 버리는 성격이에요."

"그건 무슨 혈액형입니까?"

"바보라는 이름의 혈액형이에요."

우리는 후텁지근한 공기 속에서 괴롭게 웃었다. 나는 그 여자의 프로필을 훔쳐보았다. 그 여자는 이제 웃음을 그치고 입을 꾹 다물고 그 커다란 눈으로 앞을 똑바로 응시하고 있었고 코끝에 땀이 맺혀 있었다. 그 여자는 어린아이처럼 나를 따라오고 있었다. 나는 나의 한 손으로 그 여자의 한 손을 잡았다. 그 여자는 놀란 듯했다. 나는 얼른 손을 놓았다. 잠시 후에 나는 다시 손을 잡았다. 그 여자는 이번엔 놀라지 않았다. 우리가 잡고 있는 손바닥과 손바닥의 틈으로 희미한 바람이 새어

나가고 있었다.

"무작정 서울에만 가면 어떻게 할 작정이오?" 내가 물었다.

"이렇게 좋은 오빠가 있는데 어떻게 해 주겠지요."

여자는 나를 쳐다보며 방긋 웃었다.

"신랑감이야 수두룩하긴 하지만…… 서울보다는 고향에 가 있는 게 낫지 않을까요?"

"고향보다는 여기가 나아요."

"그럼 여기 그대로 있는 게……."

"아이, 선생님, 절 데리고 가시잖을 작정이시군요."

여자는 울상을 지으며 내 손을 뿌리쳤다. 사실 나는 나 자신을 알 수 없었다. 사실 나는 감상이나 연민으로써 세상을 향하고 서는 나이도 지난 것이다. 사실 나는, 몇 시간 전에 조가 얘기했듯이 '빽이 좋고 돈많은 과부'를 만날 것을 반드시 바랐던 것은 아니지만, 결과적으로는 잘 되었다고 생각하고 있는 사람인 것이다. 나는 내게서 달아나 버렸던 여자에 대한 것과는 다른 사랑을 지금의 내 아내에 대하여 갖고 있었다. 그러면서도 나는 구름이 끼어 있는 하늘 밑의 바다로 뻗은 방죽 위를 걸어가면서, 다시 내 곁에 선 여자의 손을 잡았다. 나는 지금 우리가 찾아가고 있는 집에 대하여 여자에게 설명해 주었다.

어느 해, 나는 그 집에서 방 한 칸을 얻어 들고 더러워진 나의 폐를 씻어내고 있었다. 어머니도 세상을 떠나간 뒤였다. 바닷가에서 보낸 일년. 그 때 내가 쓴 모든 편지들 속에서 사람들은 '쓸쓸하다'라는 단어를 쉽게 발견할 수 있었다. 그 단어는 다소 천박하고 이제는 사람의 가슴에 호소해 오는 능력도 거의 상실해 버린 사어 같은 것이지만, 그러나 그 무렵의 내게는 그 말밖에 써야 할 말이 없는 것처럼 생각되었다. 아침의 백사장을 거니는 산보에서 느끼는 시간의 지루함과 낮잠에서 깨어나서 식은땀이 줄줄 흐르는 이마를 손바닥으로 닦으며 느끼는 허전함과, 깊은 밤에 악몽으로부터 깨어나서 쿵쿵 소리를 내며 급하게 뛰고 있는 심장을 한 손으로 누르며 바다의 그 애처로운 울음소리에 귀를 기울이고 있을 때의 안타까움, 그런 것들이 굴껍데기처럼 다닥다닥 붙어서 떨어질 줄 모르는 나의 생활을 나는 '쓸쓸하다'라는, 지금 생각하면 허깨비 같은 단어 하나로 대신시켰던 것이다. 바다는 상상도 되지 않는 먼지 낀 도시에서, 바쁜 일과 중에, 무표정한 우편 배달부가 던져 주고 간 나의 편지 속에서 '쓸쓸하다'라는 말을 보았을 때, 그 편지를 받은 사람이 과연 무엇을 느끼거나 상상할 수 있었을까? 그 바닷가에서 그 편지를 내가 띄우고 도시에서 내가 그 편지를 받았다고 가정할 경우에도 내가 그 바닷가에서 그 단어에 걸어 보던 모든 것에 만족할 만큼 도시의 내가 바닷가의 나의 심경에 공명할 수 있었을 것인가? 아니, 그것이 필요하기나 했을까? 그러나 정확하게 말하자면, 그 무렵, 편지를 쓰기 위해서 책상 앞으로 다가가고 있던 나도, 지금에 와서 내가 하고 있는 바와 같은 가정과 질문에 어렴풋이나마 하고 있었고, 그 대답을 '아니다'로 생각하고 있었던 듯하다. 그러면서도 그는 그 속에 '쓸쓸하다'라는 단어가 씌어진 편지를 썼고, 때로는 바다가 암청색으로 서투르게 그려진 엽서를 사방으로 띄웠다.

"세상에서 제일 먼저 편지를 쓴 사람은 어떤 사람이었을까요?"

내가 말했다.

"아이, 편지. 정말 편지를 받는 것처럼 기쁜 일은 없어요. 정말 누구였을까요? 아마 선생님처럼 외로운 사람이었겠죠?"

여자의 손이 내 손 안에서 꼼지락거렸다. 나는 그 손이 그렇게 말하고 있는 듯한 느낌이 들었다.

"그리고 인숙이처럼." 내가 말했다.

"네."

우리는 서로 고개를 돌려 마주 보며 웃음지었다.

우리는 우리가 찾아가는 집에 도착했다. 세월이 그 집과 그 집 사람들만은 피해서 지나갔던 모양이다. 주인들은 나를 옛날의 나로 대해 주었고, 그러자 나는 옛날의 내가 되었다. 나는 가지고 온 선물을 내놓았고, 그 집 주인 부부는 내가 들어 있던 방을 우리에게 제공해 주었다. 나는 그 방에서 여자의 조바심을, 마치 칼을 들고 달려드는 사람으로부터, 누군지가 자기의 손에서 칼을 빼앗아 주지 않으면 상대편을 찌르고 말 듯한 절망을 느끼는 사람으로부터 칼을 빼앗듯이 그 여자의 조바심을 빼앗아 주었다. 그 여자는 처녀는 아니었다. 우리는 다시 방문을 열고 물결이 다소 거센 바다를 내다보며 오랫동안 말없이 누워 있었다.

"서울에 가고 싶어요. 단지 그것뿐예요."

한참 후에 여자가 말했다. 나는 손가락으로 여자의 볼 위에 의미 없는 도화를 그리고 있었다.

"세상엔 착한 사람이 있을까?"

나는 방으로 불어오는 해풍 때문에 불이 꺼져 버린 담배에 다시 불을 붙이며 말했다.

"절 나무라시는 거죠? 착하게 보아 주려는 마음이 없으면 아무도 착하지 않을 거예요."

나는 우리가 불교도라고 생각했다.

"선생님은 착한 분이세요?"

"인숙이가 믿어 주는 한."

나는 다시 한 번 우리가 불교도라고 생각했다. 여자는 누운 채 내게 조금 더 다가왔다.

"바닷가로 나가요, 네? 노래 불러 드릴게요."

여자가 말했다. 그러나 우리는 일어나지 않았다.

"바닷가로 나가요, 네? 방은 너무 더워요."

우리는 일어나서 밖으로 나왔다. 우리는 백사장을 걸어서 인가가 보이지 않는 바닷가의 바위 위에 앉았다. 파도가 거품을 숨겨 가지고 와서 우리가 앉아 있는 바위 밑에 그것을 뿜어 놓았다.

"선생님."

여자가 나를 불렀다. 나는 여자 쪽으로 고개를 돌렸다.

"자기 자신이 싫어지는 것을 경험하신 적이 있으세요?"

여자가 꾸민 명랑한 목소리로 물었다. 나는 기억을 헤쳐 보았다. 나는 고개를 끄덕이며 말했다.

"언젠가 나와 함께 자던 친구가 다음 날 아침에 내가 코를 골면서 자더라는 것을 알려 주었을 때였지. 그 땐 정말이지 살 맛이 나지 않았어."

나는 여자를 웃기기 위해서 그렇게 말했다. 그러나 여자는 웃지 않고 조용히 고개만 끄덕거렸다. 한참 후에 여자가 말했다.

"선생님, 저 서울에 가고 싶지 않아요."

나는 여자의 손을 달라고 하여 잡았다. 나는 그 손을 힘을 주어 쥐면서 말했다.

"우리 서로 거짓말은 하지 말기로 해."

"거짓말이 아니에요." 여자는 방긋 웃으면서 말했.

"'어떤 갠 날' 불러 드릴게요."

"그렇지만 오늘은 흐린걸."

나는 '어떤 흐린 날'의 그 이별을 생각하며 말했다. 흐린 날엔 사람들은 헤어지지 말기로 하자. 손을 내밀고 그 손을 잡는 사람이 있으면 그

사람을 가까이 가까이 좀더 가까이 끌어당겨 주기로 하자. 나는 그 여자에게 '사랑한다'고 말하고 싶었다. 그러나 '사랑한다'라는 그 국어의 어색함이 그렇게 말하고 싶은 나의 충동을 쫓아 버렸다.

우리가 바닷가에서 읍내로 돌아온 것은 저녁의 어둠이 밀려든 뒤였다. 읍내에 들어오기 조금 전에 우리는 방죽 위에서 키스했다.

"전 선생님께서 여기 계시는 일주일 동안만 멋있는 연애를 할 계획이니까 그렇게 알고 계세요."

헤어지면서 여자가 말했다.

"그렇지만 내 힘이 더 세니까 별수 없이 내게 끌려서 서울까지 가게 될걸."

내가 말했다.

집으로 돌아와서 나는 후배인 박이 낮에 다녀간 것을 알았다. 그는

내가 '무진에 계시는 동안 심심하시지 않을까 하여 읽으시라'고 책 세 권을 두고 갔다. 그가 저녁에 다시 오겠다고 하더라는 얘기를 이모가 내게 했다. 나는 피로를 핑계로 아무도 만나기 싫다는 뜻을 이모에게 알려 두었다. 이모는 내가 바닷가에서 아직 돌아오지 않았다고 대답하겠다고 말했다. 나는 아무것도 생각하고 싶지 않았다. 아무것도. 나는 이모에게 소주를 사 오게 하여 취해서 잠이 들 때까지 마셨다. 새벽녘에 잠깐 잠이 깨었다. 나는 이유를 집어낼 수 없이 가슴이 두근거렸는데 그것은 불안이었다. '인숙이', 하고 나는 중얼거려 보았다. 그리고 곧 다시 잠이 들어 버렸다.

당신은 무진을 떠나고 있습니다

나는 이모가 나를 흔들어 깨워서 눈을 떴다. 늦은 아침이었다.

이모는 전보 한 통을 내게 건네주었다. 엎드려 누운 채 나는 전보를 펴 보았다. '27일 회의 참석 필요, 급상경 바람, 영' '27일'은 모레였고 '영'은 아내였다. 나는 아프도록 쑤시는 이마를 베개에 대었다. 나는 숨을 거칠게 쉬고 있었다. 나는 내 호흡을 진정시키려고 했다. 아내의 전보가 무진에 와서 내가 한 모든 행동과 사고를 내게 점점 명료하게 드러내 보여 주었다. 모든 것이 선입관 때문이었다. 결국 아내의 전보는 그렇게 얘기하고 있었다. 나는 아니라고 고개를 저었다. 모든 것이 흔히 여행자에게 주어지는 그 자유 때문이라고 아내의 전보는 말하고 있었다. 나는 아니라고 고개를 저었다. 모든 것이 세월에 의하여 내 마음속에서 잊혀질 수 있다고 전보는 말하고 있었다. 그러나 상처가 남는다고, 나는 고개를 저었다. 오랫동안 우리는 다투었다. 그래서 전보와 나는 타협안을 만들었다.

한 번만, 마지막으로 한 번만 이 무진을, 안개를, 외롭게 미쳐 가는 것을, 유행가를, 술집 여자의 자살을, 배반을, 무책임을 긍정하기로 하자. 마지막으로 한 번만이다. 꼭 한 번만. 그리고 나는 내게 주어진 한정된 책임 속에서만 살기로 약속한다. 전보여, 새끼손가락을 내밀어라. 나는 거기에 내 새끼손가락을 걸어서 약속한다. 우리는 약속했다.

그러나 나는 돌아서서 전보의 눈을 피하여 편지를 썼다.

'갑자기 떠나게 되었습니다. 찾아가서 말로써 오늘 제가 먼저 가는 것을 알리고 싶었습니다만, 대화란 항상 의외의 방향으로 나가 버리기를 좋아하기 때문에 이렇게 글로써 알리는 것입니다. 간단히 쓰겠습니다. 사랑하고 있습니다. 왜냐하면, 당신은 제 자신이기 때문에 적어도 제가 어렴풋이나마 사랑하고 있는 옛날의 저의 모습이기 때문입니다. 저는 옛날의 저를 오늘의 저로 끌어다 놓기 위하여 갖은 노력을 다하였듯이 당신을 햇볕 속으로 끌어 놓기 위하여 있는 힘을 다할 작정입니다. 저를 믿어 주십시오. 그리고 서울에서 준비가 되는 대로 소식 드리면 당신은 무진을 떠나서 제게 와 주십시오. 우리는 아마 행복할 수 있을 것입니다.'

쓰고 나서 나는 그 편지를 읽어 봤다. 또 한 번 읽어 봤다. 그리고 찢어 버렸다.

덜컹거리며 달리는 버스 속에서 나는, 어디쯤에선가, 길가에 세워진 하얀 팻말을 보았다. 거기엔 선명한 검은 글씨로 '당신은 무진읍을 떠나고 있습니다. 안녕히 가십시오.' 라고 씌어 있었다. 나는 심한 부끄러움을 느꼈다.

서울, 1964년 겨울

1964년 겨울을 서울에서 지냈던 사람이라면 누구나 알고 있겠지만, 밤이 되면 거리에 나타나는 선술집——오뎅과 군참새와 세 가지 종류의 술 등을 팔고 있고, 얼어붙은 거리를 휩쓸며 부는 차가운 바람이 펄럭거리게 하는 포장을 들치고 안으로 들어서게 되어 있고, 그 안에 들어서면 카바이드 불의 길쭉한 불꽃이 바람에 흔들리고 있고, 염색한 군용 잠바를 입고 있는 중년 사내가 술을 따르고 안주를 구워 주고 있는 그러한 선술집에서, 그날 밤, 우리 세 사람은 우연히 만났다. 우리 세 사람이란 나와, 도수 높은 안경을 쓴 안이라는 대학원 학생과, 정체는 알 수 없지만 요컨대 가난뱅이라는 것만은 분명하여 그의 정체를 꼭 알고 싶다는 생각은 조금도 나지 않는 서른대여섯 살짜리 사내를 말한다.

먼저 말을 주고받게 된 것은 나와 대학원생이었는데, 뭐 그렇고 그런 자기 소개가 끝났을 때는 나는 그가 안씨라는 성을 가진 스물다섯 살짜리 대한민국 청년, 대학 구경을 해 보지 못한 나로서는 상상이 되지 않는 전공을 가진 대학원생, 부잣집 장남이라는 걸 알았고, 그는 내가 스물다섯 살짜리 시골 출신, 고등학교는 나오고 육군사관학교를 지원했다가 실패하고 나서 군대에 갔다가 임질에 한 번 걸려 본 적이 있고, 지금은 구청 병사계에서 일하고 있다는 것을 아마 알았을 것이다.

자기 소개들은 끝났지만 그러고 나서는 서로 할 얘기가 없었다. 잠시

동안은 조용히 술만 마셨는데, 나는 새카맣게 구워진 군참새를 집을 때
할 말이 생겼기 때문에 마음속으로 군참새에게 감사하고 나서 얘기를
시작했다.

"안 형, 파리를 사랑하십니까?"

"아니오, 아직까진……."

"김 형은 파리를 사랑하세요?"

"예."라고 나는 대답했다.

"날을 수 있으니까요. 아닙니다. 날을 수 있는 것으로서 동시에 내 손
에 붙잡힐 수 있는 것이니까요. 날을 수 있는 것으로서 손안에 잡아
본 적이 있으세요?"

"가만 계셔 보세요."

그는 안경 속에서 나를 멀거니 바라보며 잠시 동안 표정을 꼼지락거
리고 있었다. 그리고 말했다.

"없어요, 나도 파리밖에는……."

낮엔 이상스럽게도 날씨가 따뜻했기 때문에 길은 얼음이 녹아서 흙물
로 가득했었는데, 밤이 되면서부터 다시 기온이 내려가고 흙물은 우리
의 발밑에서 다시 얼어붙기 시작했다. 쇠가죽으로 지어진 내 검정 구두
는 얼고 있는 땅바닥에서 올라오고 있는 찬 기운을 충분히 막아내지 못
하고 있었다.

사실 이런 술집이란, 집으로 돌아가는 길에 잠깐 한잔하고 싶은 생각
이 든 사람이나 들어올 데지, 마시면서 곁에 선 사람과 무슨 얘기를 주
고받을 만한 데는 되지 못하는 곳이다. 그런 생각이 문득 들었지만 그
안경잽이가 때마침 나에게 기특한 질문을 했기 때문에 나는 '이놈 그럴
듯하다'고 생각되어 추위 때문에 저려드는 내 발바닥에게 조금만 참으
라고 부탁했다.

"김 형, 꿈틀거리는 것을 사랑합니까?" 하고 내게 물었던 것이다.

"사랑하구말구요." 나는 갑자기 의기양양해져서 대답했다. 추억이란 그것이 슬픈 것이든지 기쁜 것이든지 그것을 생각하는 사람을 의기양양하게 한다. 슬픈 추억일 때는 고즈넉이 의기양양해지고 기쁜 추억일 때는 소란스럽게 의기양양해진다.

"사관학교 시험에서 미역국을 먹고 나서도 얼마 동안, 나는 나처럼 대학 입학시험에 실패한 친구 하나와 미아리에서 하숙하고 있었습니다. 서울엔 그 때가 처음이었죠. 장교가 된다는 꿈이 깨어져서 나는 퍽 실의에 빠져 있었습니다. 그 때 영영 실의해 버린 느낌입니다. 아시겠지만 꿈이 크면 클수록 실패가 주는 절망감도 대단한 힘을 발휘하더군요. 그 무렵 재미를 붙인 게 아침의 만원 된 버스칸이었습니다. 함께 있는 친구와 나는 하숙집의 아침 밥상을 밀어놓기가 바쁘게 미아리고개 위에 있는 버스 정류장으로 달려갑니다. 개처럼 숨을 헐떡거리면서 말입니다. 시골에서 처음으로 서울에 올라온 청년들의 눈에 가장 부럽고 신기하게 비치는 게 무언지 아십니까? 부러운 건 뭐니뭐니 해도, 밤이 되면 빌딩들의 창에 켜지는 불빛, 아니 그 불빛 속에서 이리저리 움직이고 있는 사람들이고, 신기한 건 버스칸 속에서 일 센티미터도 안 되는 간격을 두고 자기 곁에 이쁜 아가씨가 서 있다는 사실입니다. 때로는 아가씨들과 팔목의 살을 대고 있기도 하고 허벅다리를 비비고 서 있을 수도 있어서 그것 때문에 나는 하루 종일을 시내버스를 이것저것 갈아타면서 보낸 적도 있습니다. 물론 그날 밤엔 너무 피로해서 토했습니다만……."

"잠깐, 무슨 얘기를 하시자는 겁니까?"

"꿈틀거리는 것을 사랑한다는 얘기를 하려던 참이었습니다. 들어 보세요. 그 친구와 나는 출근 시간의 만원 버스 속을 쓰리꾼들처럼 안으로 비집고 들어갑니다. 그리고 자리를 잡고 앉아 있는 젊은 여자 앞에 섭니다. 나는 한 손으로 손잡이를 잡고 나서, 달려오느라고 좀 멍해진 머리를 올리고 있는 손에 기댑니다. 그리고 내 앞에 앉아 있는 여자의 아랫배 쪽으로 천천히 시선을 보냅니다. 그러면 처음엔 얼른 눈에 뜨이지 않지만 시간이 조금 가고 내 시선이 투명해지면서부터는그 여자의 아랫배가 조용히 오르내리는 것을 볼 수 있습니다…….”

“오르내린다는 건…… 호흡 때문에 그러는 것이겠죠?”

“물론입니다. 시체의 아랫배는 꿈쩍도 하지 않으니까요. 하여튼…… 나는 그 아침의 만원 버스칸 속에서 보는 젊은 여자 아랫배의 조용한 움직임을 보고 있으면 왜 그렇게 마음이 편안해지고 맑아지는지 모르겠습니다. 나는 그 움직임을 지독하게 사랑합니다.”

“퍽 음탕한 얘기군요.”라고 안은 기묘한 음성으로 말했다. 나는 화가 났다. 그 얘기는, 내가 만일 라디오의 박사 게임 같은 데에 나가게 돼서 ‘세상에서 가장 신선한 것은?’ 이라는 질문을 받게 되었을 때, 남들은 상추니 오월의 새벽이니 천사의 이마니 하고 대답하겠지만, 나는 그 움직임이 가장 신선한 것이라고 대답하려니 하고 일부러 기억해 두었던 것이었다.

“아니, 음탕한 얘기가 아닙니다.” 나는 강경한 태도로 말했다.

“그 얘기는 정말입니다.”

“음탕하지 않다는 것과 정말이라는 것 사이엔 어떤 관계가 있죠?”

“모르겠습니다. 관계 같은 것은 난 모릅니다. 요컨대…….”

“그렇지만 그 동작은 ‘오르내린다’ 는 것이지 꿈틀거린다는 것은 아니군요. 김 형은 아직 꿈틀거리는 것을 사랑하지 않으시구면.”

우리는 다시 침묵 속으로 떨어져서 술잔만 만지락거리고 있었다. 개

새끼, 그게 꿈틀거리는 게 아니라고 해도 괜찮다, 하고 나는 생각하고 있었다. 그런데 잠시 후에 그가 말했다.

"난 방금 생각해 봤는데 김 형의 그 오르내림도 역시 꿈틀거림의 일종이라는 결론을 얻었습니다."

"그렇죠?" 나는 즐거워졌다. "그것은 틀림없이 꿈틀거림입니다. 난 여자의 아랫배를 가장 사랑합니다. 안 형은 어떤 꿈틀거림을 사랑합니까?"

"어떤 꿈틀거림이 아닙니다. 그냥 꿈틀거리는 거죠. 그냥 말입니다. 예를 들면…… 데모도……."

"데모가? 데모를? 그러니까 데모……."

"서울은 모든 욕망의 집결지입니다. 아시겠습니까?"

"모르겠습니다."라고 나는 할 수 있는 한 깨끗한 음성을 지어서 대답했다.

그 때 우리의 대화는 또 끊어졌다. 이번엔 침묵이 오래 계속되었다. 나는 술잔을 입으로 가져갔다. 내가 잔을 비우고 났을 때 그도 잔을 입에 대고 눈을 감고 마시고 있는 게 보였다. 나는 이젠 자리를 떠나야 할 때가 되었다고 다소 서글픈 기분으로 생각했다. 결국 그렇고 그렇다. 또 한 번 확인된 것에 지나지 않다고 생각하면서 '자, 그럼 다음에 또……'라고 말할까 '재미있었습니다'라고 말할까 궁리하고 있는데, 술잔을 비운 안이 갑자기 한 손으로 내 한쪽 손을 살그머니 잡으면서 말했다.

"우리가 거짓말을 하고 있었다고 생각하지 않으십니까?"

"아니오." 나는 좀 귀찮은 생각이 들었다. "안 형은 거짓말을 했는지 모르지만 내가 한 얘기는 정말이었습니다."

"난 우리가 거짓말을 하고 있었던 것 같은 느낌이 듭니다." 그는 붉어진 눈두덩을 안경 속에서 두어 번 꿈벅거리고 나서 말했다. "난 우리 또

래의 친구를 알게 되면 꼭 꿈틀거림에 대한 얘기를 하고 싶어집니다. 그래서 얘기를 합니다. 그렇지만 얘기는 오 분도 안 돼서 끝나 버립니다."

나는 그가 무슨 얘기를 하고 있는지 알 듯하기도 했고 모를 것 같기도 했다.

"우리 다른 얘기합시다." 하고 그가 다시 말했다.

나는 심각한 얘기를 좋아하는 이 친구를 곯려주기 위해서, 그리고 한편으로는 자기의 음성을 자기가 들을 수 있는 취한 사람의 특권을 맛보고 싶어서 얘기를 시작했다.

"평화시장 앞에 줄지어 선 가로등들 중에서 동쪽으로부터 여덟 번째 등은 불이 켜 있지 않습니다……."

나는 그가 좀 어리둥절해하는 것을 보자 더욱 신이 나서 얘기를 계속했다.

"……그리고 화신백화점 육층의 창들 중에서는 그 중 세 개에서만 불빛이 나오고 있었습니다……."

그러자 이번엔 내가 어리둥절해질 사태가 벌어졌다. 안의 얼굴에 놀라운 기쁨이 빛나기 시작했기 때문이다.

그가 빠른 말씨로 얘기하기 시작했다.

"서대문 버스 정거장에는 사람이 서른두 명 있는데 그 중 여자가 열일곱 명이었고, 어린애는 다섯 명, 젊은이는 스물한 명, 노인이 여섯 명입니다."

"그건 언제 일이지요?"

"오늘 저녁 일곱 시 십오 분 현재입니다."

"아." 하고 나는 잠깐 절망적인 기분이었다가 그 반작용인 듯 굉장히 기분이 좋아져서 털어놓기 시작했다.

"단성사 옆골목의 첫 번째 쓰레기통에는 쪼코렛 포장지가 두 장 있습니다."

"그건 언제?"

"지난 십사일 아홉 시 현재입니다."

"적십자 병원 정문 앞에 있는 호도나무의 가지 하나는 부러져 있습니다."

"을지로 3가에 있는 간판 없는 한 술집에는 미자라는 이름을 가진 색시가 다섯 명 있는데, 그 집에 들어온 순서대로 큰미자, 둘째 미자, 셋째 미자, 넷째 미자, 막내 미자라고들 합니다."

"그렇지만 그건 다른 사람들도 알고 있겠군요. 그 술집에 들어가 본 사람은 꼭 김 형 하나뿐이 아닐 테니까요."

"아 참, 그렇군요. 난 미처 그걸 생각하지 못했는데. 난 그 중에서 큰 미자와 하룻저녁 같이 잤는데 그 여자는 다음날 아침, 일수로 물건을 파는 여자가 왔을 때 내게 빤쓰 하나를 사 주었습니다. 그런데 그 여자가 저금통으로 사용하고 있는 한 되들이 빈 술병에는 돈이 백십 원 들어 있었습니다."

"그건 얘기가 됩니다. 그 사실은 완전히 김 형의 소유입니다."

우리의 말투는 점점 서로를 존중해 가고 있었다. "나는……." 하고 우리는 동시에 말을 시작하기도 했다. 그럴 때는 번갈아서 서로 양보했다.

"나는……." 이번에는 그가 말할 차례였다. "서대문 근처에서 서울역 쪽으로 가는 전차의 도로리가 내 시야 속에서 꼭 다섯 번 파란 불꽃을 튀기는 것을 보았습니다. 그건 오늘 밤 일곱 시 이십오 분에 거길 지나가는 전차였습니다."

"안 형은 오늘 저녁엔 서대문 근처에서 살고 있었군요."

"예, 서대문 근처에서만……."

"난 종로 2가 쪽입니다. 영보빌딩 안에 있는 변소문의 손잡이 조금 밑에는 약 2센티미터 가량의 손톱자국이 있습니다."

하하하하 하고 그는 소리내어 웃었다.

"그건 김 형이 만들어 놓은 자국이겠지요?"

나는 무안했지만 고개를 끄덕이지 않을 수 없었다. 그건 사실이었다.

"어떻게 아세요?"하고 나는 그에게 물었다.

"나도 그런 경험이 있으니까요." 그가 대답했다. "그렇지만 별로 기분 좋은 기억이 못 되더군요. 역시 우리는 그냥 바라보고 발견하고 비밀히 간직해 두는 편이 좋겠어요. 그런 짓을 하고 나서는 뒷맛이 좋지 않더군요."

"난 그런 짓을 많이 했습니다만 오히려 기분이 좋았……." 좋았다고 말하려고 했는데, 갑자기 내가 했던 모든 그것에 대한 혐오감이 치밀어서 나는 말을 그치고 그의 의견에 동의하는 고갯짓을 해 버렸다.

그러자 그 때 나는 이상스럽다는 생각이 들었다. 내가 약 삼십 분 전에 들은 말이 틀림없다면 지금 내 옆에서 안경을 번쩍이고 앉아 있는 친구는 틀림없는 부잣집 아들이고, 높은 공부를 한 청년이다. 그런데 왜 그가 그래야만 되는가?

"안 형이 부잣집 아들이라는 것은 사실이겠지요? 그리구 대학원생이라는 것도……." 내가 물었다.

"부동산만 해도 대략 삼천만 원쯤 되면 부자가 아닐까요? 물론 내 아버지의 재산이지만 말입니다. 그리고 대학원생이란 건 여기 학생증이 있으니까……."

그러면서 그는 호주머니를 뒤적거려서 지갑을 꺼냈다.

"학생증까진 필요없습니다. 실은 좀 의심스러운 게 있어서요. 안 형 같은 사람이 추운 밤에 싸구려 선술집에 앉아서 나 같은 친구나 간직

할 만한 일에 대해서 얘기하고 있다는 것이 이상스럽다는 생각이 방금 들었습니다.”

“그건…… 그건…….” 그는 좀 열띤 음성으로 말했다.

“그건…… 그렇지만 먼저 물어보고 싶은 게 있는데요. 김 형이 추운 밤에 밤거리를 쏘다니는 이유는 무엇입니까?”

“습관은 아닙니다. 나 같은 가난뱅이는 호주머니에 돈이 좀 생겨야 밤거리에 나올 수 있으니까요.”

“글쎄, 밤거리에 나오는 이유는 뭡니까?”

“하숙방에 들어앉아서 벽이나 쳐다보고 있는 것보다는 나으니까요.”

“밤거리에 나오면 뭐가 좀 풍부해지는 느낌이 들지 않습니까?”

“뭐가요?”

“그 뭔가가. 그러니까 생이라고 해도 좋겠지요, 난 김 형이 왜 그런 질문을 하는지 그 이유를 조금은 알 것 같습니다. 내 대답은 이렇습니다. 밤이 됩니다. 난 집에서 거리로 나왔습니다. 난 모든 것에서 해방된 것을 느낍니다. 아니, 실제로는 그렇지 않을는지 모르지만 그렇게 느낀다는 말입니다. 김 형은 그렇게 안 느낍니까?"

"글쎄요."

"나는 사물의 틈에 끼어서가 아니라 사물을 멀리 두고 바라보게 됩니다. 안 그렇습니까?"

"글쎄요, 좀……."

"아니, 어렵다고 말하지 마세요. 이를테면 낮엔 그저 스쳐 지나가던 모든 것이 밤이 되면 내 시선 앞에서 자기들의 벌거벗은 몸을 송두리째 드러내 놓고 쩔쩔맨단 말입니다. 그런데 그게 의미가 없는 일일까요. 그런, 사물을 바라보며 즐거워한다는 일이 말입니다."

"의미요? 그게 무슨 의미가 있습니까? 난 무슨 의미가 있기 때문에 종로 2가에 있는 빌딩들의 벽돌 수를 헤아리는 일을 하는 게 아닙니다. 그냥……."

"그렇죠? 무의미한 겁니다. 아니, 사실은 의미가 있는지도 모르지만 난 아직 그걸 모릅니다. 김 형도 아직 모르는 모양인데 우리 한번 함께 그거나 찾아볼까요. 일부러 만들어 붙이지는 말고요."

"좀 어리둥절하군요. 그게 안 형의 대답입니까? 난 좀 어리둥절한데요. 갑자기 의미라는 말이 나오니까."

"아 참, 미안합니다. 내 대답은 아마 이렇게 될 것 같군요. 그냥 뭔가 뿌듯해지는 느낌이 들기 때문에 밤거리로 나온다고."

그는 이번엔 목소리를 낮추어서 말했다.

"김 형과 나는 서로 다른 길을 걸어서 같은 지점에 온 것 같습니다. 만일 이 지점이 잘못된 지점이라고 해도 우리 탓은 아닐 거예요."

그는 이번엔 쾌활한 음성으로 말했다.

"자, 여기서 이럴 게 아니라 어디 따뜻한 데 가서 정식으로 한잔씩 하고 헤어집시다. 난 한바퀴 돌고 여관으로 갑니다. 가끔 이렇게 밤거리를 쏘다니는 밤엔 난 꼭 여관에서 자고 갑니다. 여관엘 찾아든다는 프로가 내게는 최고죠."

우리는 각기 계산하기 위해서 호주머니에 손을 넣었다. 그 때 한 사내가 우리에게 말을 걸어 왔다. 우리 곁에서 술잔을 받아 놓고 연탄불에 손을 쬐고 있던 사내였는데, 술을 마시기 위해서 거기에 들어온 것이 아니라 불을 쬐고 싶어서 잠깐 들렀다는 꼴을 하고 있었다. 제법 깨끗한 코트를 입고 있었고 머리엔 기름도 얌전하게 발라서 카바이드등의 불꽃이 너풀댈 때마다 머리 위의 하이라이트가 이리저리 움직이고 있었다. 그러나 어디선지는 분명하지는 않았지만 가난뱅이 냄새가 나는 서른 대여섯 살짜리 사내였다. 아마 빈약하게 생긴 턱 때문이었을까, 아니면 유난히 새빨간 눈시울 때문이었을까. 그 사내가 나나 안 중의 어느 누구에게라고 할 것 없이 그냥 우리 쪽을 향하여 말을 걸어 온 것이었다.

"미안하지만 제가 함께 가도 괜찮을까요? 제게 돈은 얼마 있습니다만……"이라고 그 사내는 힘없는 음성으로 말했다.

그 힘없는 음성으로 봐서는 꼭 끼어 달라는 건 아니라는 것 같았지만 한편으로는 우리와 함께 가고 싶은 생각이 간절하다는 것 같기도 했다. 나와 안은 잠깐 얼굴을 마주 보고 나서, "아저씨 술값만 있다면……."이라고 내가 말했다.

"함께 가시죠."라고 안도 내 말을 이었다.

"고맙습니다." 하고 그 사내는 여전히 힘없는 음성으로 말하면서 따라왔다. 안은 일이 좀 이상하게 되었다는 얼굴을 하고 있었고, 나 역시 유쾌한 예감이 들지는 않았다. 술좌석에서 알게 된 사람끼리는 의외로 재미있게 놀게 되는 것을 몇 번의 경험으로 알고 있었지만, 대개의 경우, 이렇게 힘없는 목소리로 끼어드는 양반은 없었다. 즐거움이 넘치고 넘친다는 얼굴로 요란스럽게 끼어들어야만 일이 되는 것이었다. 우리는 갑자기 목적지를 잊은 사람들처럼 사방을 두리번거리면서 느릿느릿 걸어갔다. 전봇대에 붙은 약 광고판 속에서는 이쁜 여자가 '춥지만 할 수 있느냐'는 듯한 쓸쓸한 미소를 띠고 우리를 내려다보고 있었고, 어떤 빌딩의 옥상에서는 소주 광고의 네온사인이 열심히 명멸하고 있었고, 소주 광고 곁에서는 약 광고의 네온사인이 하마터면 잊어버릴 뻔했다는 듯이 황급히 꺼졌다간 다시 켜져서 오랫동안 빛나고 있었고, 이젠 완전히 얼어붙은 길 위에는 거지가 돌덩이처럼 여기저기 엎드려 있었고, 그 돌덩이 앞을 사람들은 힘껏 웅크리고 빠르게 지나가고 있었다. 종이 한 장이 바람에 휙 날리어 거리의 저쪽에서 이쪽으로 날아오고 있었다. 그 종잇조각은 내 발밑에 떨어졌다. 나는 그 종잇조각을 집어 들었는데 그것은 '미희 서비스, 특별염가'라는 것을 강조한 어느 비어홀의 광고지였다.

"지금 몇 시쯤 되었습니까?" 하고 힘없는 아저씨가 안에게 물었다.

"아홉 시 십 분 전입니다."라고 잠시 후에 안이 대답했다.

"저녁들은 하셨습니까? 난 아직 저녁을 안 했는데, 제가 살 테니까 같이 가시겠어요." 힘없는 아저씨가 이번엔 나와 안을 번갈아 보며 말했다.

"먹었습니다." 하고 나와 안은 동시에 대답했다.

"혼자서 하시죠."라고 내가 말했다.

"그만두겠습니다." 힘없는 아저씨가 대답했다.

"하세요. 따라가 드릴 테니까요." 안이 말했다.

"감사합니다. 그럼……."

，우리는 근처의 중국요릿집으로 들어갔다. 방으로 들어가서 앉았을 때 아저씨는 또 한 번 간곡하게 우리가 뭘 좀 들 것을 권했다. 우리는 또 한 번 사양했다. 그는 또 권했다.

"아주 비싼 걸 시켜도 괜찮겠습니까?"라고 나는 그의 권유를 철회시키기 위해서 말했다.

"네, 사양 마시고." 그가 처음으로 힘 있는 목소리로 말했다. "돈을 써 버리기로 결심했으니까요."

나는 그 사내에게 어떤 꿍꿍이속이 있는 것만 같은 느낌이 들어서 좀 불안했지만, 통닭과 술을 시켜 달라고 했다. 그는 자기가 주문한 것 외에 내가 말한 것도 사환에게 청했다. 안은 어처구니없는 얼굴로 나를 보았다. 나는 그 때 마침 옆방에서 들려오고 있는 여자의 불그레한 신음 소리를 듣고만 있었다.

"이 형도 뭘 좀 드시죠."라고 아저씨가 안에게 말했다.

"아니, 전……." 안은 술이 다 깬다는 듯이 펄쩍 뛰고 사양했다.

우리는 조용히 옆방의 다급해져 가는 신음 소리에 귀를 기울이고 있었다. 전차의 끽끽거리는 소리와 홍수난 강물 소리 같은 자동차들의 달리는 소리도 희미하게 들려오고 있었고, 가까운 곳에서는 이따금 초인종울리는 소리도 들렸다. 우리의 방은 어색한 침묵에 싸여 있었다.

"말씀드리고 싶은 게 있는데요." 마음씨 좋은 아저씨가 말하기 시작했다. "들어 주셨으면 고맙겠습니다. …… 오늘 낮에 제 아내가 죽었습니다. 세브란스 병원에 입원하고 있었는데……." 그는 이젠 슬프지도 않다는 얼굴로 우리를 빤히 쳐다보며 말하고 있었다.

"네에에."

"그거 안되셨군요."라고 안과 나는 각각 조의를 표했다.

"아내와 나는 참 재미있게 살았습니다. 아내가 어린애를 낳지 못하기 때문에 시간은 몽땅 우리 두 사람의 것이었습니다. 돈은 넉넉하진 못했습니다만 그래도 돈이 생기면 우리는 어디든지 같이 다니면서 재미있게 지냈습니다. 딸기철엔 수원에도 가고, 포도철엔 안양에도 가고, 여름이면 대천에도 가고, 가을엔 경주에도 가 보고, 밤엔 함께 영화 구경, 쇼 구경하러 열심히 극장에 쫓아다니기도 했습니다……."

"무슨 병환이셨던가요?" 하고 안이 조심스럽게 물었다.

"급성 뇌막염이라고 의사가 그랬습니다. 아내는 옛날에 급성 맹장염 수술을 받은 적도 있고, 급성 폐렴을 앓은 적도 있다고 했습니다만 모두 괜찮았었는데 이번의 급성엔 결국 죽고 말았습니다…… 죽고 말았습니다."

사내는 고개를 떨구고 한참 동안 무언지 입을 우물거리고 있었다. 안이 손가락으로 내 무릎을 찌르며 우리는 꺼지는 게 어떻겠느냐는 눈짓을 보냈다. 나 역시 동감이었지만, 그 때 사내가 다시 고개를 들고 말을 계속했기 때문에 우리는 눌러앉아 있을 수밖에 없었다.

"아내와는 재작년에 결혼했습니다. 우연히 알게 됐습니다. 친정이 대구 근처에 있다는 얘기만 했지 한 번도 친정과는 내왕이 없었습니다. 난 처갓집이 어딘지도 모릅니다. 그래서 할 수 없었어요."

그는 다시 고개를 떨구고 입을 우물거렸다.

"뭘 할 수 없었다는 말입니까?" 내가 물었다.

그는 내 말을 못 들은 것 같았다. 그러나 한참 후에 다시 고개를 들고 마치 애원하는 듯한 눈빛으로 말을 이었다.

"아내의 시체를 병원에 팔았습니다. 할 수 없었습니다. 난 서적 월부 판매 외교원에 지나지 않습니다. 할 수 없었습니다. 돈 사천 원을 주더군요. 난 두 분을 만나기 얼마 전까지 세브란스 병원 울타리 곁에서 있었습니다. 아내가 누워 있을 시체실이 있는 건물을 알아보려고 했습니다만 어딘지 알 수 없었습니다. 그냥 울타리 곁에 앉아서 병원의 큰 굴뚝에서 나오는 희끄무레한 연기만 바라보고 있었습니다. 아내는 어떻게 될까요? 학생들이 해부 실습하느라고 톱으로 머리를 가르고 칼로 배를 찢고 한다는데 정말 그러겠지요?"

우리는 입을 다물고 있을 수밖에 없었다. 사환이 다꾸앙과 파가 담긴 접시를 갖다 놓고 나갔다.

"기분 나쁜 얘길 해서 미안합니다. 다만 누구에게라도 얘기하지 않고서는 견딜 수 없었습니다. 한 가지만 의논해 보고 싶은데, 이 돈을 어떻게 하면 좋을까요? 저는 오늘 저녁에 다 써 버리고 싶은데요."

"쓰십시오." 안이 얼른 대답했다.

"이 돈이 다 없어질 때까지 함께 있어 주시겠어요?" 사내가 말했다. 우리는 얼른 대답하지 못했다. "함께 있어 주십시오." 사내가 말했다. 우리는 승낙했다. "멋있게 한번 써 봅시다."라고 사내는 우리와 만난 후 처음으로 웃으면서 그러나 여전히 힘없는 음성으로 말했다.

중국집에서 거리로 나왔을 때는 우리는 모두 취해 있었고, 돈은 천 원이 없어졌고 사내는 한쪽 눈으로 울고 다른쪽 눈으로는 웃고 있었고, 안은 도망갈 궁리를 하기에도 지쳐 버렸다고 내게 말하고 있었고, 나는 "액센트 찍는 문제를 모두 틀려 버렸단 말야, 액센트 말야."라고 중얼거리고 있었고, 거리는 영화에서 본 식민지의 거리처럼 춥고 한산했고, 그러나 여전히 소주 광고는 부지런히, 약 광고는 게으름을 피우며 반짝이고 있었고, 전봇대의 아가씨는 '그저 그래요'라고 웃고 있었다.

"이제 어디로 갈까?" 하고 아저씨가 말했다.

"어디로 갈까?" 안이 말하고,

"어디로 갈까?"라고 나도 그들의 말을 흉내냈다.

아무 데도 갈 데가 없었다. 방금 우리가 나온 중국집 곁에 양품점의 쇼윈도가 있었다. 사내가 그 쪽을 가리키며 우리를 끌어당겼다. 우리는 양품점 안으로 들어갔다.

"넥타이를 골라 가져. 내 아내가 사 주는 거야." 사내가 호통을 쳤다.

우리는 알록달록한 넥타이를 하나씩 들었고, 돈은 육백 원이 없어져 버렸다. 우리는 양품점에서 나왔다.

"어디로 갈까?"라고 사내가 말했다.

갈 데는 계속해서 없었다. 양품점의 앞에는 귤장수가 있었다.

"아내는 귤을 좋아했다."고 외치며 사내는 귤을 벌여 놓은 수레 앞으로 돌진했다. 삼백 원이 없어졌다. 우리는 이빨로 귤껍질을 벗기면서 그 부근에서 서성거렸다.

"택시!" 사내가 고함쳤다.

택시가 우리 앞에 멎었다. 우리가 차에 오르자마자 사내는,

"세브란스로!"라고 말했다.

"안 됩니다. 소용없습니다." 안이 재빠르게 외쳤다.

"안 될까?" 사내가 중얼거렸다. "그럼 어디로?" 아무도 대답하지 않았다.

"어디로 가시는 겁니까?"라고 운전수가 짜증난 음성으로 말했다.

"갈 데가 없으면 빨리 내리쇼."

우리는 차에서 내렸다. 결국 우리는 중국집에서 스무 발자국도 더 벗어나지 못하고 있었다.

거리의 저쪽 끝에서 요란한 사이렌 소리가 나타나서 점점 가깝게 달려들었다. 소방차 두 대가 우리 앞을 빠르고 시끄럽게 지나쳐 갔다.

"택시!" 사내가 고함쳤다.

택시가 우리 앞에 멎었다. 우리가 차에 오르자마자 사내는,

"저 소방차 뒤를 따라갑시다."고 말했다.

나는 귤껍질을 세 개째 벗기고 있었다.

"지금 불구경 하러 가고 있는 겁니까?"라고 안이 아저씨에게 말했다.. "안 됩니다. 시간이 없습니다. 벌써 열 시 반인데요. 좀더 재미있게 지내야죠. 돈은 이제 얼마 남았습니까?"

아저씨는 호주머니를 뒤져서 돈을 모두 털어냈다. 그리고 그것을 안에게 건네줬다. 안과 나는 헤아려 봤다. 천구백 원하고 동전이 몇 개, 십 원짜리가 몇 장이 있었다.

"됐습니다." 안은 돈을 다시 돌려주면서 말했다. "세상엔 다행히 여자의 특징만 중점적으로 내보이는 여자들이 있습니다."

"내 아내 얘깁니까?"라고 사내가 슬픈 음성으로 물었다. "내 아내의 특징은 너무 잘 웃는다는 것이었습니다."

"아닙니다. 종삼으로 가자는 얘기였습니다." 안이 말했다.

사내는 안을 경멸하는 듯한 웃음을 띠며 고개를 돌려 버렸다. 그러는 사이에 우리는 화재가 난 곳에 도착했다. 삼십 원이 없어졌다. 화재가 난 곳은 아래층인 페인트 상점이었는데, 지금은 미용학원인 이층에서 불길이 창으로부터 뿜어나오고 있었다. 경찰들의 호각 소리, 소방차들의 사이렌 소리, 불길 속에서 나는 탁탁 소리, 물줄기가 건물의 벽에 부딪쳐서 나는 소리. 그러나 사람들의 소리는 아무것도 나지 않았다. 사람들은 불빛에 비쳐 무안당한 사람처럼 붉은 얼굴로, 정물처럼 서 있었다.

우리는 발밑에 굴러 있는 페인트 든 통을 하나씩 궁둥이 밑에 깔고 웅크리고 앉아서 불구경을 했다. 나는 불이 좀더 오래 타기를 바랐다. 미용학원이라는 간판에 불이 붙고 있었다. '원' 자에 불이 붙기 시작했다.

"김 형, 우린 우리 얘기나 합시다." 하고 안이 말했다. "화재 같은 건 아무것도 아닙니다. 내일 아침 신문에서 볼 것을 오늘 밤에 미리 봤다는 차이밖에 없습니다. 저 화재는 김 형의 것도 아니고 내 것도 아니고 이 아저씨 것도 아닙니다. 우리 모두의 것이 돼 버립니다. 그러나 화재는 항상 계속해서 나고 있는 건 아닙니다. 그러기 때문에 난 화재엔 흥미가 없습니다. 김 형은 어떻게 생각하십니까?"

"동감입니다." 나는 아무렇게나 대답하며 이젠 '학' 자에 불이 붙고 있는 것을 보았다.

"아니, 난 방금 말을 잘못 했습니다. 화재는 우리 모두의 것이 아니라 화재는 오로지 화재 자신의 것입니다. 화재에 대해서 우리는 아무것도 아닙니다. 그러기 때문에 난 화재에 흥미가 없습니다. 김 형은 어떻게 생각하십니까?"

"동감입니다."

물줄기 하나가 불타고 있는 '학' 으로 달려들고 있었다. 물이 닿은 곳에서는 회색 연기가 피어올랐다. 힘없는 아저씨가 갑자기 힘차게 깡통으로부터 일어섰다.

"내 아냅니다." 하고 사내는 환한 불길 속을 손가락질하며 눈을 크게 뜨고 소리쳤다. "내 아내가 머리를 막 흔들고 있습니다. 골치가 깨질 듯이 아프다고 머리를 막 흔들고 있습니다. 여보……."

"골치가 깨어질 듯이 아픈 게 뇌막염의 증세입니다. 그렇지만 저건 바람에 휘날리는 불길입니다. 앉으세요. 불 속에 아주머님이 계실 리가 있습니까?"라고 안이 아저씨를 끌어 앉히며 말했다. 그리고 나서 안은 나에게 나지막하게 속삭였다. "이 양반, 우릴 웃기는데요."

나는 꺼졌다고 생각하고 있던 '학' 에 다시 불이 붙고 있는 것을 보았다. 물줄기가 다시 그 곳으로 뻗어가고 있었다. 그러나 물줄기는 겨냥을 잘 잡지 못하고 이리저리 흔들리고 있었다. 불은 날쌔게 '용'을 핥고 있었다. 나는 '미'까지 어서 불붙기를 바라고 있었고, 그리고 그 간판에 불이 붙는 과정을 그 많은 불구경꾼들 중에서 나 혼자만 알고 있기를 바랐다. 그러나 그 때 문득 나는 불이 생명을 가진 것처럼 생각되어서, 내가 조금 전에 바라고 있던 것을 취소해 버렸다.

무언가 하얀 것이 우리가 웅크리고 앉아 있는 곳에서 불타고 있는 건물 쪽으로 날아가는 것이 보였다. 그 비둘기는 불 속으로 떨어졌다.

"무엇이 불 속으로 날아들어갔지요?" 내가 안을 돌아다보며 물었다.

"예, 뭐가 날아갔습니다." 안은 나에게 대답하고 나서 이번엔 아저씨를 돌아다보며 "보셨어요?" 하고 그에게 물었다.

아저씨는 잠자코 앉아 있었다. 그 때 순경 한 사람이 우리 쪽으로 달려왔다.

"당신이지?"라고 순경은 아저씨를 한 손으로 붙잡으면서 말했다.

"방금 무얼 불 속에 던졌소?"

"아무것도 안 던졌습니다."

"뭐라구요?" 순경은 때릴 듯한 시늉을 하며 아저씨에게 소리쳤다.

"내가 던지는 걸 봤단 말요. 무얼 불 속에 던졌소?"

"돈입니다."

"돈?"

"돈과 돌을 손수건에 싸서 던졌습니다."

"정말이오?" 순경은 우리에게 물었다.

"예, 돈이었습니다. 이 아저씨는 불난 곳에 돈을 던지면 장사가 잘된다는 이상한 믿음을 가졌답니다. 말하자면 좀 돌았다고 할 수 있는 사람이지만 나쁜 짓은 결코 하지 않는 장사꾼입니다." 안이 대답했다.

"돈은 얼마였소?"

"일 원짜리 동전 한 개였습니다." 안이 다시 대답했다.

순경이 가고 났을 때 안이 사내에게 물었다.

"정말 돈을 던졌습니까?"

"예."

"모두?"

"예."

우리는 꽤 오랫동안 불꽃이 튀는 탁탁 소리에 귀를 기울이고 있었다. 한참 후에 안이 사내에게 말했다.

"결국 그 돈은 다 쓴 셈이군요…… 자, 이젠 그럼 약속이 끝났으니 우린 가겠습니다."

"안녕히 계십시오."라고 나도 아저씨에게 작별 인사를 했다.

안과 나는 돌아서서 걷기 시작했다. 사내가 우리를 쫓아와서 안과 나의 팔을 한쪽씩 붙잡았다.

"나 혼자 있기가 무섭습니다." 그는 벌벌 떨며 말했다.

"곧 통행금지 시간이 됩니다. 나는 여관으로 가서 잘 작정입니다." 안이 말했다.

"난 집으로 갈 겁니다." 내가 말했다.

"함께 갈 수 없겠습니까? 오늘 밤만 같이 지내 주십시오. 부탁합니다. 잠깐만 저를 따라와 주십시오."

사내는 말하고 나서 나를 붙잡고 있는 자기의 팔을 부채질하듯이 흔들었다. 아마 안의 팔에 대해서도 그렇게 했으리라.

"어디로 가자는 겁니까?" 나는 아저씨에게 물었다.

"여관비를 구하러 잠깐 이 근처에 들렀다가 모두 함께 여관으로 갔으면 하는데요."

"여관에요?" 나는 내 호주머니 속에 든 돈을 손가락으로 계산해 보며 말했다.

"여관비라면 내가 모두 내겠으니 그럼 함께 가시지요." 안이 나와 사내에게 말했다.

"아닙니다. 폐를 끼쳐 드리고 싶지 않습니다. 잠깐만 절 따라와 주십시오."

"돈을 빌리러 가는 겁니까?"

"아닙니다. 받아야 할 돈이 있습니다."

"이 근처에요?"

"예, 여기가 남영동이라면."

"아마 틀림없는 남영동인 것 같군요." 내가 말했다.

사내가 앞장을 서고 안과 내가 그 뒤를 쫓아서 우리는 화재로부터 멀어져 갔다.

"빚 받으러 가기에는 시간이 너무 늦었습니다." 안이 사내에게 말했다.

"그렇지만 저는 받아야 합니다."

우리는 어느 어두운 골목길로 들어섰다. 골목의 모퉁이를 몇 개인가 돌고 난 뒤에 사내는 대문 앞에 전등이 켜져 있는 집 앞에서 멈췄다. 나와 안은 사내로부터 열 발자국쯤 떨어진 곳에서 멈췄다. 사내가 벨을 눌렀다. 잠시 후에 대문이 열리고, 사내가 대문 안에 선 사람과 말하는 소리가 들렸다.

"주인 아저씨를 뵙고 싶은데요."

"주무시는데요."

"그럼 주인 아주머니는……"

"주무시는데요."

"꼭 뵈어야겠는데요."

"기다려 보세요."

대문이 다시 닫혔다. 안이 달려가서 사내의 팔을 잡아끌었다.

"그냥 가시죠?"

"괜찮습니다. 받아야 할 돈이니까요."

안이 다시 먼저 서 있던 곳으로 걸어왔다. 대문이 열렸다.

"밤늦게 죄송합니다." 사내가 대문을 향해서 고개를 숙이며 말했다.

"누구시죠?" 대문은 잠에 취한 여자의 음성을 냈다.

"죄송합니다, 이렇게 너무 늦게 찾아와서. 실은……."

"누구시죠? 술 취하신 것 같은데……."

"월부 책값 받으러 온 사람입니다."

하고 사내는 갑자기 비명 같은 높은 소리로 외쳤다. "월부 책값 받으러 온 사람입니다." 이번엔 사내는 문기둥에 두 손을 짚고 앞으로 뻗은 자기 팔 위에 얼굴을 파묻으며 울음을 터뜨렸다. "월부 책값 받으러 온 사람입니다. 월부 책값……." 사내는 계속해서 흐느꼈다.

"내일 낮에 오세요." 대문이 탁 닫혔다.

사내는 계속해서 울고 있었다. 사내는 가끔 "여보"라고 중얼거리며 오랫동안 울고 있었다. 우리는 여전히 열 발자국쯤 떨어진 곳에서 그가 울음을 그치기를 기다리고 있었다. 한참 후에 그가 우리 앞으로 비틀비틀 걸어왔다.

우리는 모두 고개를 숙이고 어두운 골목길을 걸어서 거리로 나왔다. 적막한 거리에는 찬바람이 세차게 불고 있었다.

"몹시 춥군요."라고 사내는 우리를 염려한다는 음성으로 말했다.

"추운데요. 빨리 여관으로 갑시다." 안이 말했다.

"방을 한 사람씩 따로 잡을까요?" 여관에 들어갔을 때 안이 우리에게 말했다.

"그게 좋겠지요?"

"모두 한방에 드는 게 좋겠지요."라고 나는 아저씨를 생각해서 말했다.

아저씨는 그저 우리 처분만 바란다는 듯한 태도로, 또는 지금 자기가 서 있는 곳이 어딘지도 모른다는 태도로 멍하니 서 있었다. 여관에 들어서자 우리는 모든 프로가 끝나 버린 극장에서 나오는 때처럼 어찌할 바를 모르고 거북스럽기만 했다. 여관에 비한다면 거리가 우리에게는 더 좁았던 셈이었다. 벽으로 나누어진 방들, 그것이 우리가 들어가야 할 곳이었다.

"모두 같은 방에 들기로 하는 것이 어떻겠어요?" 내가 다시 말했다.

"난 지금 아주 피곤합니다." 안이 말했다. "방은 각각 하나씩 차지하고 자기로 하지요."

"혼자 있기가 싫습니다."라고 아저씨가 중얼거렸다.

"혼자 주무시는 게 편하실 거예요." 안이 말했다.

우리는 복도에서 헤어져서 사환이 지적해 준, 나란히 붙은 방 세 개에 각각 한 사람씩 들어갔다.

"화투라도 사다가 놉시다." 헤어지기 전에 내가 말했지만,

"난 아주 피곤합니다. 하시고 싶으면 두 분이나 하세요."라고 안은 말하고 나서 자기의 방으로 들어가 버렸다.

"나도 피곤해 죽겠습니다. 안녕히 주무세요."라고 나는 아저씨에게 말하고 나서 내 방으로 들어갔다. 숙박계엔 거짓 이름, 거짓 주소, 거짓 나이, 거짓 직업을 쓰고 나서 사환이 가져다 놓은 자리끼를 마시고 나는 이불을 뒤집어썼다. 나는 꿈도 안 꾸고 잘 잤다.

다음날 아침 일찍이 안이 나를 깨웠다.

"그 양반, 역시 죽어 버렸습니다." 안이 내 귀에 입을 대고 그렇게 속삭였다.

"예?" 나는 잠이 깨끗이 깨어 버렸다.

"방금 그 방에 들어가 보았는데 역시 죽어 버렸습니다."

"역시……." 나는 말했다. "사람들이 알고 있습니까?"

"아직까진 아무도 모르는 것 같습니다. 우린 빨리 도망해 버리는 게 시끄럽지 않을 것 같습니다."

"자살이지요?"

"물론 그것이겠죠."

나는 급하게 옷을 주워 입었다. 개미 한 마리가 방바닥을 내 발이 있는 쪽으로 기어오고 있었다. 그 개미가 내 발을 붙잡으려고 하는 것 같은 느낌이 들어서 나는 얼른 자리를 옮겨 디디었다.

밖의 이른 아침에는 싸락눈이 내리고 있었다. 우리는 할 수 있는 한 빠른 걸음으로 여관에서 떨어져 갔다.

"난 그 사람이 죽으리라는 걸 알고 있었습니다." 안이 말했다.

"난 짐작도 못했습니다."라고 나는 사실대로 얘기했다.

"난 짐작하고 있었습니다." 그는 코트의 깃을 세우며 말했다. "그렇지만 어떻게 합니까?"

"그렇지요. 할 수 없지요. 난 짐작도 못했는데……." 내가 말했다.

"짐작했다고 하면 어떻게 하겠어요?" 그가 내게 물었다.

"씨팔것, 어떻게 합니까? 그 양반 우리더러 어떡하라는 건지……."

"그러게 말입니다. 혼자 놓아 두면 죽지 않을 줄 알았습니다. 그게 내가 생각해 본 최선의, 그리고 유일한 방법이었습니다."

"난 그 양반이 죽으리라고는 짐작도 못했다니까요. 씨팔것, 약을 호주머니에 넣고 다녔던 모양이군요."

안은 눈을 맞고 있는 어느 앙상한 가로수 밑에서 멈췄다. 나도 그를 따라서 멈췄다. 그가 이상하다는 얼굴로 나에게 물었다.

"김 형, 우리는 분명히 스물다섯 살짜리죠?"

"난 분명히 그렇습니다."

"나두 그건 분명합니다." 그는 고개를 한 번 기웃했다.

"두려워집니다."

"뭐가요?" 내가 물었다.

"그 뭔가가, 그러니까……." 그가 한숨 같은 음성으로 말했다.

"우리가 너무 늙어 버린 것 같지 않습니까?"

"우린 이제 겨우 스물다섯 살입니다." 나는 말했다.

"하여튼……." 하고 그가 내게 손을 내밀며 말했다.

"자, 여기서 헤어집시다. 재미 많이 보세요." 하고 나도 그의 손을 잡으며 말했다.

우리는 헤어졌다. 나는 마침 버스가 막 도착한 길 건너편의 버스 정류장으로 달려갔다. 버스에 올라서 창으로 내어다보니 안은 앙상한 나뭇가지 사이로 내리는 눈을 맞으며 무언지 곰곰이 생각하고 서 있었다.

구인환

숨쉬는 영정

지은이

1929~ 충남 장항 출생. 1962년 《현대문학》에 〈판자집 그늘〉, 〈광야〉가 추천되어 문단에 데뷔했다. 주로 인간 존재에 대한 탐구와 상실한 낙원을 갈구하는 현대인의 고민을 그린 작품을 발표하고 있다. 주요 작품으로는 〈동굴주변〉, 〈별과 선율〉, 〈창문〉 등이 있으며, 창작집으로 《뒹구는 자화상》, 《벽에 갇힌 절규》 등이 있다.

숨쉬는 영정

택시에서 내리자 바삐 매표구로 걸어갔다. 발이 자꾸만 비틀거리는 것 같다. 몸을 바로 세우고 대합실의 문을 밀었다.

들어서면서 매표구에 눈을 부었다. 승객이 두어 사람 서 있다. 아기를 업은 여인이 차표를 들여다보면서 걸어가고 있다. 아마 친정집이라도 찾아가는 길인지도 모른다.

우선 마음이 놓였다. 수십 명은 몰라도 적어도 입구까지 줄을 대고 서 있으려니 하던 걱정이 사라졌으니 다행한 일이다. 하기야 허구한 날 수없이 떠나는 차들이 많은데, 뭐 그 때마다 만원이 되어 야단을 피울 리는 없다고 해도 이렇게 한산하고 보면 오히려 조바심을 낸 일이 우스워지기도 했다.

하지만, 그런 생각도 잠깐일 뿐, 어느 새 네댓 사람이 뒤에 서 있고 꾸역꾸역 사람들이 오는 것이 아닌가.

다시 매표구를 봤다.

앞사람이 큰돈을 냈는지 한참이나 머뭇거리다가 웃으며 나갔다. 깡마른 볼에 스쳐간 미소의 여울은 표를 샀다는 안도감일까, 비닐백을 든 모습이 가볍게 보였다. 다음 사람은 무슨 말인지 몇 마디 주고받고는 표를 받아들고 곧장 나갔다.

"서울행은 언제 떠나죠?"

좀 바삐 다가서면서 매표구를 향해 물었다.

아가씨가 고개를 들면서 쳐다봤다. 화사한 원피스를 입어, 들길에 한들거리는 코스모스와 같은 인상이다. 눈이 시원하게 보였다. 누구에게 쫓기는 듯한 말에 의아스러운 표정으로 쳐다보는 모양이다.

"곧 안 떠납니꺼. 어서 표나 사이소. 염려 말고예."

경상도 억양이 곱게 궁구는 아가씨의 말이 땡그르르 하고 굴렀다.

"아니, 그 곧이 언제라는 말이오?"

아가씨의 얼굴을 바라보며 되물었다. 뒤에서 누군가가 무어라고 하는 말이 스쳐갔다.

"아니, 이 손님이? 앞 좀 보시소. 어서 표만 사문 되는 거 아닙니꺼."

별 싱거운 손님도 다 보겠다는 투의 말이다. 매표구의 창에 분명히 출발 시간이 제시되어 있는데도 자꾸만 물어보니 의아스러운 표정을 지을수밖에 없으리라.

창구를 다시 봤다. 분명히 9시 0분이라고 붙어 있지 않은가. 그거도 하얀 바탕에 붉은색으로 숫자가 돋보이게 말이다. 아크릴로 된 숫자가 비웃기라도 하듯이 다가왔다.

"아니, 뭣하구 있는 거요, 표는 안 사구……."

등 뒤에서 누군가가 말하는 소리가 땡 하고 울렸다. 어느 새 십여 명이 줄을 지어 서 있지 않은가. 급히 돈을 꺼내서 창구에 밀었다. 아가씨가 그것 보라는 듯이 빙긋이 웃으며 거스름돈과 표를 내주었다.

"이거 미안합니다."

누구에게 하는지 모르게 한마디 던지고는 발을 떼었다.

대합실은 어느 새 꽤 많은 사람이 서성거리고 있다. 모두가 바쁜 표정들이다. 등을 댈 데가 없고, 겨우 엉덩이가 닿을 정도의 의자에 앉아 출발 시간을 기다리거나, 약속된 시간을 기다리는 사람들이 대부분이고, 매표구 앞에 줄을 지어 늘어서 있는 사람, 연방 시계를 보면서 초침을 응시하고 있는 사람 등 남녀노소를 가릴 수 없는 수많은 사람들이 제각기 목적을 향해 움직이고 있다. 그 중에는 별다른 볼일 없이 나들이하는 사람이 있기도 하겠지만, 급하고 중요한 일로 할 수 없이 시간을 쪼개어 내는 사람이 대부분이리라.

아직도 20분이나 남았다. 서울행을 타라는 안내 방송은 아직 없다. 좀 미리 차에 타게 해서 딱딱한 의자보다는 부드러운 좌석에 앉아 쉬게 하면 편할 텐데, 꼭 출발 시간이 거의 돼서야 승객을 태운다고 야단법석을 피우니 알고도 모를 일이다. 그럴 만한 이유야 없지도 않겠지만, 그러지 않아도 비좁은 대합실이 더 옹색해지고, 승객들이 차문이 열리기를 눈이 까맣게 기다리는 것이 아닌가.

어디라도 가서 앉아야겠지. 이대로 서서 20분을 기다릴 수는 없지 않은가. 5분 전에 문을 연다고 해도 15분이 남아 있다. 사실 십여 분 동안은 잠깐이기도 하지만 사실 담배 한 가치를 제대로 피우려고 해도 십여 분이 걸리는 것이 아닌가.

사방을 둘러봤다. 가운데에 빈자리가 보였다. 그쪽으로 서서히 다가섰다. 누가 먼저 그 자리에 앉으려는 것을 얼른 가서 앉기라도 하려는 듯이 그 자리에 지그시 눈을 부으면서 발을 옮겼다. 주저앉듯이 걸터앉았다. 엉덩이가 오목한 자리에 폭 안긴다. 딱딱한 촉감이 싫지 않게 받쳐왔다.

한산도를 꺼냈다. 두어 모금을 가볍게 빨고는 깊이 들이마셨다. 시원하다. 온몸에 사르르 번져 간다. 사지가 나른해지고, 눈이 감기는 것만 같다. 눈을 감으면, 포근하게 깊은 잠에 빠져 들어가겠지. 먼 꿈 속의 나라를 헤매면서 마음껏 노닐 수도 있고, 오월의 시원한 훈풍을 볼에 느끼면서 단잠에 포근히 잠길 수도 있을 거야. 하지만 그렇게 한가하게 시간을 보낼 수 있는 처지가 못된다. 어서 서울에 달려가서 형을 만나봐야 한다. 같은 하늘 아래 살면서도 서로 생사조차도 몰랐던 형 서태규를 만나봐야 하는 것이다. 정말 그것은 형임에 틀림이 없다. 아무리 희미한 기억이라고는 해도 그 모든 것은 형의 그것에 틀림이 없다. 틀림이 없는 거야.

"여보, 당신 고향이 어디랬어요?"

그 날은 좀 늦게 집에 들어갔다. 옷을 갈아입고 세수를 하려는데 아내가 호들갑스럽게 말하면서 빤히 쳐다봤다.

"고향이라니?"

재규는 의아스러운 표정으로 아내를 쳐다봤다. 아니, 난데없이 고향은 왜 찾는 거야. 고향?

"아니, 무어랬어요. 당신의 고향 말예요."

"갑자기 고향은? 그것 또 무슨 뚱딴지 같은 소리야."

"글쎄, 당신의 고향이 어디냐고 묻고 있잖아요."

아내는 자못 긴장된 표정으로 앞으로 다가왔다.

"내 고향이라고? 그건 당신이 더 잘 알고 있지 않소."

"아니, 누가 사리원이라는 것을 몰라서 물어보는 줄 아세요? 사리원의 어디냔 말예요."

"건 또 왜?"

"글쎄, 말이나 해 봐요."

"새삼 그걸 알아서 무얼 하겠다는 거요? 아닌 밤중의 홍두깨 모양으로."

"다 필요해서 물어보는 게 아닌가요. 마을 이름 대기가 무얼 그리 어렵다고 이렇게 방패를 대는 거예요?"

재규는 좀 쑥스러워졌다. 무슨 사연이 있길래 물어보는 것은 뻔한 이

친데, 이리저리 피하는 격이 되고 말았으니, 아내가 핀잔을 주는 것도 당연하다고 생각했다.

"사리원 참 좋은 곳이지. 우리 마을은 바로 용수리라오."

"용수리요? 됐어요."

좀 신파조가 되어 버렸다고 여겨지는 말이 떨어지자마자, 아내가 재규의 손을 잡으면서 외치듯 말했다.

"되다니, 무어가 됐다는 거요? 밑도끝도없이……."

재규는 좀 의아스러운 표정으로 아내를 바라보았다.

"어쩌면 당신의 소원이 이루어질 수 있을지 몰라요. 꿈에 그리던 형님을 만날 수 있을지 몰라요."

"뭐 형님을? 여보, 말 좀 자세히 해 봐요. 형님을 만날 수 있다니, 아니, 삼십 년 가까이 만날 수 없었던 태규 형님을 만날 수 있다니, 속 시원하게 말이나 해 봐요."

이번에는 재규가 더 흥분해서 아내의 손을 잡아당겼다.

"우선 앉아요. 내 차근차근하게 얘기할 테니 말예요."

좀 상기된 아내도 재규의 손을 끌었다.

"오늘 낮에 누가 다녀갔는지 알아요?"

"알기는? 밖에 나가 있는 사람이 어떻게 그걸 아누?"

"가만있어요. 누가 그걸 물어봤나요. 당신은 가만히 듣기나 해요, 오빠가 다녀갔어요. 마산에 좀 볼일이 있다면서 잠시 앉았다가 떠나셨는데요, 글쎄, 오빠가 그러잖아요, 이산가족찾기 방송을 안 들었냐고요. 왜 당신이 허구한 날 듣던 그 방송 말예요. 그게 지금도 있느냐고요? 그러믄요. 지금도 꼬박 방송하고 있다잖아요. 그런데 그 방송에서요, 당신이 찾던 형님의 목소리를 들었다는 거예요. 글쎄, 저녁에 좀 늦게 들어와서 말예요. 오빠는 왜 술을 좋아하잖아요. 그 술 때문

에 가끔 올케가 바가지를 긁기도 하지만요, 옷을 갈아입고 무심히 라디오를 켰더니, 사리원 어쩌구 얘기를 해서 귀를 기울여 보았다는 거예요. 당신이 하도 사리원 얘기를 해서 사리원이라는 말에 귀가 번쩍한 모양이죠. 어머님만 집에 남겨 두고 피난했다는 말이며, 대전 근방에서 폭격을 피하다가 헤어졌다는 말, 용수리에 있는 기와집에서 살았다는 말은 물론이고, 서재규라는 당신의 이름도 같다잖아요. 그러면서 형님이란 분이 직접 말하더라면서 형님의 이름은 서태규라고 하잖아요. 왜 당신의 태규 형님은 아마 폭격에서 희생된지도 모르겠다고 절망 비슷하게 말한 그 분이 틀림이 없대요. 이 분의 친척이나 또는 그런 분을 아는 사람은 방송국으로 연락해 달라고 했다잖아요. 왜 그전에도 끝에 가서 아나운서가 하던 말 말예요. 그러니, 어서 방송국으로 연락을 해 봐요. 지성이면 감천이라더니, 이런 일도 세상에 다 있네요."

아내는 차근차근히 말하면서 눈물을 글썽거렸다.

"그러고 보니 태규 형님 같은데."

형님이 살아 있다는 말에 흥분되기는 했으나, 또 한편으로는 전혀 믿을 수 없는 일같이 느껴졌다.

"같은데가 뭐예요. 주소며 기와집, 그리고 어머님이나 헤어진 경위가 분명히 맞잖아요. 그리고 재규는 사십 안팎이라고 하더래요. 당신이 올해에 사십이 아니에요? 모든 것이 다 맞는데 틀릴 게 어딨어요."

십여 년을 같이 살아온 아내는 재규보다 더 흥분했다.

"그래도 만나보러 갔다가 허탕치는 사람이 얼마나 많은가를 알잖아. 너무 기대하지 않는 것이 좋을지도 몰라."

오히려 재규는 처음과는 달리 좀 냉정해졌다. 그래도 생활이 안정되고 결혼한 뒤에 방송도 많이 하고 신문에도 내 봤어도 전혀 소식이 없던 형님이 갑자기 나타났다는 것이 도시 믿어지지 않기 때문이다.

"그래도 모든 게 꼭 맞잖아요. 이제는 망향 동산에 갈 필요가 없게 됐네요. 큰집이 생겼으니 말예요."

아내는 직접 만나기라도 한 듯이 기뻐했으나, 재규는 도시 꿈만 같아 믿을 수가 없었다.

"우리가 직접 들은 것도 아니고, 당신의 오빠가 술김에 내가 늘 하던 말을 연상해서 잘못 들었을지도 모르지 않소. 이제 갑자기 형님이 나타났다는 사실이 이상한 일이 될지도 모르잖은가."

아내는 의아스러운 표정으로 재규를 쳐다보았다.

"사실 월남하다가 헤어져 서로 생사를 모르고 살아가는 실향민이 어디 당신 하나냐고 위로해 주신 말을 나는 잘 기억하고 있고, 또 고맙게 생각하고 있어요. 형님을 만나기만 하면야 얼마나 기쁜 일이겠소."

"당신이 하도 애타게 만나고 싶어하기에 그러는 게 아녜요? 아무리 방송을 하고 신문에 냈어도 누가 그걸 일일이 보고 듣나요."

아내는 희망적으로만 생각하면서 이번은 하늘에서 주신 기회인지도 모른다고 말했다.

뜬눈으로 날을 세우고, 방송국으로 전화를 걸었다. 편지를 보내고 그 답신이 올 때까지 멍하고 기다릴 수가 없었다. 처음에는 담당자가 적십자사에 있다고 해서 연락이 되지 않았으나 11시쯤 해서 거는 게 좋겠다고 해서 다시 걸었다.

담당자의 말은 아내가 처남에게서 들은 말과 일치했다. 먼저 건강과 몰골을 물었으나, 담당자는 지금 그런 것이 문제이냐고 말하면서 그 분에게 연락을 해서 만나는 시간을 알려 주겠다고 말했다. 재규는 태규 형님의 주소가 어디냐고 다그쳐 물었다. 그쪽에 연락을 하고 뭐해서 시간이 걸리는 것보다 직접 가 보는 것이 빠르지 않겠느냐는 말에, 담당자는 삼십 년 가까이 헤어져 있었는데 하루이틀이 문제겠느냐고 농담 비슷하게 말하면서 오히려 이쪽 사정을 자세히 물었다. 아마 아무리 이산가족이라도 만나게 하는 절차가 있고, 또 이쪽의 사정을 얘기해서 그쪽에 전달하여 만나겠다는 의사 표시가 있어야 만날 수 있는 기회를 만들어 주는 모양이다.

기다리는 시간은 하루가 여삼추하고 뱀과 같다더니, 하루하루가 정말 견디기 어려운 노릇이었다. 하루이틀이 지난 다음에는 우체국에 가서 부탁까지 해 놓았다.

아내는 꼼짝도 않고 전화 앞에 앉아 있었다.

일도 별로 손에 잡히지 않았다. 조그마한 공장이기는 해도 일은 손에 딸리게 밀렸다.

담당자가 하는 말을 듣고, 내 동생같지 않다고 만나기를 거부한 것일까. 그렇지 않고야 이렇게 까마귀고기를 먹은 듯이 소식이 없을 리가 없지 않은가. 그렇다고 경박스럽게 담당자에게 전화를 또 할 수도 없는 노릇이고 보니 답답하기만 했다.

사실 집에 들어가면 아내가 더 조급해하고 있기도 하고 애들이 있고 해서 억지로 태연할 수밖에 없어서 더욱 가슴만 태울 뿐이다.

그러니까 어제 저녁때였다. 오늘도 무료히 지나가려니 하고, 창밖의 먼 산을 바라보며 이번도 허탕인가 하고 담배만 피우고 있는데 전화벨이 울렸다. 집이라고 했다.

"왔어요."

아내의 호들갑스러운 말에 재규는 어리벙벙했다.

"뭐라고……."

"서울에 와서 형님을 만나보라는 통지가 왔어요."

"뭐, 통지가 와? 그게 사실이오?"

"아니, 당신 어떻게 보고 하는 소리예요? 사실이 아니면 왜 전화하겠어요."

아내의 좀 토라진 듯한 음성에 곧 들어간다고 말하고는 수화기를 놓았다. 몸이 좀 떨린다고 생각되었다. 도시 흥분이 가라앉지가 않았다.

집에 돌아와서 내일 4시에 적십자 이산가족실에 와서 서태규 씨를 만나 보라는 등기 편지를 보고도 흥분은 진정되지 않았다. 당신도 참 꿈에도 그리던 형을 만나 소원을 풀으면 됐지, 왜 그렇게 어린애같이 흥분만 하고 있느냐는 아내의 말을 들으면서 거의 뜬눈으로 밤을 세우고 말았다. 종잡아 말할 수 없는 단편적인 꿈 속을 헤매다가 새벽에 집을 나섰다. 만나는 대로 연락해 달라는 아내의 말을 뒤로 하고 부산행 직행버스를 탔다.

버스는 아직 움직이지 않고 서 있다. 육중한 몸으로 승객만 삼키고 눈 한 번 꿈쩍거리지 않는다.

쫓기어 타느라고 서성대던 승객들이 시계를 보면서 초조하게 앉아 있다.

안내양이 무슨 통을 들고 올라오더니 차내를 한바퀴 돌아보고는 앞자리에 가서 앉아서는 무엇인가 만지고 있다. 구급약과 물통인 모양이다.

운전사는 아직 보이지 않는다.

재규도 시계를 보았다. 한 이삼 분 전이다.

잘도 지키는군, 좌석이 다 찼으면 떠날 만도 한 일인데, 시간 전에 떠날 수 없음을 모를 터는 없다. 그러면서도 재규는 조바심이 더했다. 어서 떠나야 되는 것같이 자꾸만 초침에 눈이 갔다.

아까 산 신문을 펴 들었다. 굵직한 활자가 여기저기 번져 있을 뿐, 글자가 눈에 들어오지 않았다.

운전사가 들어왔다. 하얀 커버를 한 모자에 단정한 옷차림이다.

승객들의 눈이 활짝 피었다. 이제 떠난다는 기분이 감돌아 안도감이 스쳐가서인지 좌석을 바로잡는 사람이 많았다.

운전사가 핸들을 몇 번 잡으며 자세를 바로하고 나서 발동을 걸었다. 발동이 순조로운 것을 듣고는 시계를 보았다.

가벼운 긴장감이 차내에 흐를 뿐 고요했다. 발동 소리만이 가볍게 울릴 뿐이다.

운전사가 초침을 응시했다.

서울행 버스가 떠난다는 안내양의 맑은 목소리가 멀리서 들려왔다.

운전사가 기어를 넣고는 서서히 액셀러레이터를 밟았다. 차가 미끄러지듯이 움직이기 시작했다.

태규는 아무래도 일어나야겠다고 생각했다. 오랜만에 몸을 닦고 세수라도 하려면 좀 이르기는 해도 일어나야 될 것 같다.

"아버지, 이러시믄 안 됩니다. 가만히 누워 계세요."

제대하여 봄부터 직장을 잡은 기현이 만류를 했다. 오늘은 며칠 전에 처음 얘기를 들은, 이미 작은아버지가 되어 있을 삼촌을 만나러 아버지를 모시고 가려고 하루 휴가를 맡아 집에 있었다.

태규는 아무래도 생전에 재규를 만나 봐야겠다고 생각하고 방송국을 찾아갔었다.

사실은 금방 고향의 부모와 친지를 만날 수 있을 것이라는 환상 속에 떠들썩하던 남북대화가 있기 조금 전에 재규가 형을 찾는 방송도 듣고, 신문에 난 것도 보았으나, 이를 꾹 참고 만나지 않았다. 집도 없이 남의 집에서 허덕거리는 꼴을 보여 주어 재규를 실망시키고 싶지 않았기 때문이다. 애들이 어렸을 때 월남 얘기가 나와서 삼촌과 같이 나오기는 했어도 폭격을 맞아 혼자 넘어오게 되었다고 말은 했지만, 그 재규가 살아 있으리라고는 생각지 못했다. 그 재규가 이산가족찾기 시간에 형 서태규를 간절히 만나기를 절규하는 소리를 못 들은 체하기란 쉬운 노릇이 아니었다. 세상을 살다보면 잘살고 못사는 법도 있는 것이 예사인데, 동생을 만나지 않고 못 들은 척하는 것은 비겁한 일이라고 스스로 타일러 보았으나 아무래도 용납되지 않았다. 사업이라고까지는 말할 수는 없다고는 해도 하던 일이 몇 번 엎치락뒤치락하다가 전세집에서 살아가는 처지에 무슨 동생을 만나보느냐고 자위를 하면서 다시 일어서면 이쪽에서 찾아야겠다고 다짐까지 했다.

젊어서 정신 못 차리더니 꼴이 좋다고 속을 지르는 아내에게, 동생이 살아 있으니 만나야겠다는 말이 나올 수도 없었다.

세월은 덧없이 흘러가게 마련이다.

결국 사업도 여의치 않아 술에서나 위안을 찾을 수밖에 없었다. 기현은 겨우 고등학교를 다니는 둥 마는 둥 하고 입대하고, 중학교를 다니는 기숙과 셋이었으나, 어떻게 되어가는지 기숙의 뒤를 대기도 가빴다.

술을 끊지 않으면 제 명대로도 살지 못하고, 망향의 제사 한 번 못 지낼 것이라고 퍼붓는 아내의 말도 아랑곳없이 술을 떠나지 못했다. 그것도 옛날 사업이랍시고 할 때와는 달리 깍두기에 깡소주를 마시니 더욱 몸이 축날 수밖에 없었다.

사실 같이 월남한 친지 중에는 소문나게 돈을 벌어 사는 자도 없지 않으나, 태규는 월남한 그 때부터 벗어부치고 나서지 못한 그 하나 외에는 자기 생활을 별로 후회해 본 적은 없었다.

몸이 점점 쇠약해져 작년 가을부터는 일터에 나가지 못하는 날이 늘어가기 시작했다.

겨우내 기침도 하면서 겨우 넘긴 태규는 봄부터 일절 술을 끊고 집에 있었다.

작년에는 아내가 어떻게 행상을 해서 겨우 연명하다가 봄에 기현이가 그런대로 취직을 하여 먹고사는 시름을 놓게 되었다. 기숙은 억지춘향으로 여고에 다니기는 해도 별로 얼굴을 펼 날이 없었다.

기현이 취직이 되자, 넌 대학에 보낸다고 큰소리를 하고 있으나 기현의 월급으로는 택도 없는 일이다.

여름에 접어들면서 몰골이 눈에 띄게 달라져 갔다. 기현의 월급을 떼어 약값까지 쓰고 봐도 별 신통한 것 같지가 않았다. 그래도 없는 사람은 여름이 낫다더니, 별로 장마철도 없고 해서 아내의 행상이 수월찮게 태규의 약값을 메워 나갔다.

사실은 술을 끊었다고는 해도 이미 술로 망가진 뒤고 보면, 술을 끊은 것이 큰 효험을 볼 수 없는 모양이다. 그러기에 망가지기 전에 몸을 아껴야 한다고 말하지 않는가.

찬바람이 일면서 건강이 더 좋아지는 것 같지 않았다.

모처럼 가끔 가던 산마루에 올랐다. 초가을답지 않게 따가운 햇볕을 받으면서 서쪽 산을 바라봤다. 수리산이다. 별로 높지 않은 것 같으면서 묘미가 있어 보였다. 멀어서 알 수는 없으나, 나무가 좀 많은 것같이 보였다.

태규는 문득 그 자리에 눕고 싶어졌다. 풀을 헤치고 반듯이 누웠다.

하늘이 파랗다. 벌써 여름보다는 꽤 짙게 보였다.

푸른 하늘! 금시 파란 물이 떨어질 것 같다. 하늘은 여전히 푸른데, 이 서태규는 어떻게 되는 건가. 삼십 년에 가까운 월남 뒤의 생활이 화면같이 스쳐 갔다.

태규는 눈시울이 뜨거워짐을 느꼈다. 너무도 보잘것없는 삶의 도정에 대한 애달픈 후회가 서리는 것일까. 아니면 자조에 겨운 허탈의 웃음소리인가. 문득 사리원 용수리의 기와집이 눈앞을 스쳤다. 탱자나무로 둘러싸여 있고, 대문을 들어서면 널따란 마당에 감나무가 서 있으며 가을꽃이 피기 시작하고, 중문을 나서면 바깥마당이고 사랑방의 마루가 나오고…… 그래 그래, 마당의 동쪽에 방앗간이 있고, 뒤쪽은 산의 낭떠러지고 그 낭떠러지 위엔 잡목이 우거져 울타리를 만들어 주는 산. 아냐 아냐, 저건 문전옥답이 아닌가. 포근히 안아 주는 집은 여기뿐이던가.

태규는 어느 새 잠이 들었다. 고향 사리원에 날아가 집안 식구들이나 친구들을 만나서 이야기라도 하는지 가끔 입가에 미소가 스치곤 했다.

얼마 지나 태규는 소스라쳐 눈을 떴다. 사리원 옛집의 대문이 열리지 않아 실랑이를 하다가 못해 몸으로 부딪치는 순간 잠이 깬 것이다.

온몸이 땀으로 젖어 있었다.

몸을 가누고 정신을 가다듬었다. 고향이야, 고향. 불현듯 가 보고 싶은 충동이 용솟음쳤다. 매년 추석 때 실향민들의 합동 성묘가 있을 때도 그렇게 간절하게 고향이 그립지는 않았다.

그 뒤에 한 두어 번 더 산마루에 올라가서는 두서너 시간씩 있다가 내려왔다. 그 때마다 열세 살의 재규의 모습이 가슴을 눌렀다.

며칠을 더 참아 봤다. 이 꼴을 하고 만날 수야 없지 않은가. 차라리 보이지 않는 것이 나을지도 모르지. 그래도 그런 생각은 잠시 동안 스칠 뿐 만나야겠다는 생각이 가슴을 메웠다. 같이 만나서 같이 북쪽을 바라보면서 옛날 얘기라도 나누어야 할 것이 아닌가.

이제는 더 망설일 것이 없었다. 재규를 만나야 한다.

저녁을 먹는 둥 마는 둥 하고 방에 다 들어오라고 했다. 방이라야 아래채에 있는 두 개뿐이었다.

자리에 앉자 모두가 의아스러운 눈으로 태규를 바라봤다. 눈이 들어

간 몰골이 더욱 수척해 보였다.

"기현아! 추석이 며칠이나 남았니?"

태규의 말에 모두 어안이 벙벙했다.

"아니, 추석은 또 왜요? 저기 달력이 있잖아요."

아내가 먼저 태규의 옆으로 다가왔다.

"누가 그걸 모르나, 한 보름 남았지."

숨을 쉬고 나서 태규는 아내·기현·기숙의 얼굴을 둘러봤다.

"올해는 기쁜 추석을 맞이할지도 모른다. 너희들이 나를 도와 주어야겠다."

"아니, 무슨 일인데요, 아빠?"

기숙이가 먼저 앞으로 다가섰다. 기현의 눈빛이 자못 긴장하기 시작했다.

"이건 나 혼자 간직하고 가려던 일이다만……."

엄숙한 음성이 방 안을 누볐다.

"아니, 당신 무슨 말을 하려는 거예요, 여보?"

아내가 놀란 빛으로 태규의 손을 꼭 잡았다.

"놀랄 것은 없다, 사실은 내가 죄를 짓고 있다. 일이 있어서 말이다. 어디 세상에 죄를 안 짓고 살 수 있는 사람이 있겠느냐만, 이것만은 용서받지 못할 일이다."

"무슨 일인데 그러세요?"

기현이도 앞으로 다가서며 아버지의 얼굴을 쳐다봤다.

"자, 가만히 듣고만 있어라."

태규는 자세를 가다듬고 나서, 재규의 일을 소상하게 얘기했다.

"그 때 만나지 못한 것이 철천지 한이다. 쉽게 사업이 복구될 줄 알았던 것이 이렇게 세월만 흐르고 말았다. 엄마에게나 너희들에게 이 사

실을 말하지 않은 죄를 용서해라. 하지만, 사실은 나이 많은 형으로서
떳떳하게 아우를 만나고 싶었고, 너희들에게 뵈고 싶었던 것이다."
라고 말하는 태규의 눈에 눈물이 맺혔다.

이제는 병들어, 더 이상 참고 견딜 수가 없어서 말하는 것이니, 너희
들이 좀 도와서 삼촌을 찾게 해 달라는 말과, 지금쯤 자리를 더 확고하
게 잡고 있을 터이니 이산가족찾기 시간에 부탁하면 이번 추석 때는 만
날 수 있으리라는 얘기를 했다.

"아빠도 바보야. 아니, 월남할 때 헤어진 동생을 피하다니요."

먼저 기숙이가 입을 열었다.

"아니, 그걸 여태 숨겨 오다니요. 그래도 형의 체면은 지키고 싶었던
모양이지?"

아내는 섭섭한 표정으로 한마디 하는 것을 잊지 않았다.

"미안하다. 그래두 사람 구실을 하려던 아버지가 그런 것이니, 날 좀
도와 다오."

기현이가 앞으로 다가서며 아버지 손을 꼭 붙잡았다.

결국 이산가족찾기 시간에 방송이 나갔다.

사나흘이 지나자 태규는 초조함을 견딜 수가 없었다.

"소식이 오면 다행으로 알고요, 몸이나 조심하세요."

라고 말하는 아내의 뒷모습을 바라보고 앉아 있을 수가 없었다.

다시 산마루에 올라가서 허전한 심정으로 수리산을 보면서 회오 어린
시간을 보냈다.

그러니까 바로 나흘 전, 동생의 소식이 왔다고 적십자사에서 통지가
오던 날이었다.

그 날도 낮에 산마루에 올라 멍하니 먼 산을 바라보고 있었다. 방송
만 나가면 금시 소식이 올 줄 알았던 기대가 산산조각이 나는 듯하자,

그 때 만나지 않은 것이 가슴에 사무쳐 왔다. 벌을 받아야 돼. 받아도 싸지. 재규가 어머니를 모시고 있을지도 모르는 일이 아닌가. 그 때 혼자 남아 있었지만, 또 모를 일이다. 난 휴전선보다 더 두꺼운 장벽을 마음속에 쌓아 놓고 있었다는 말인가. 재규야! 말 좀 해 봐라. 어딘가에 있으면 대답을 좀 해 보란 말이다.

몸이 좀 오싹했다. 또 오한이 나는 모양이라고 생각하다가 더 견딜 수가 없어서 산을 내려왔다.

집이 가까워지자, 좀 어지럽다고 생각되었다. 발을 멈추고 몸을 가다듬었다.

"아빠…… 소식이 왔어요."

누가 달려오면서 말했다.

"뭐, 소식이라니?"

제일 먼저 집에 오는 기숙이다.

"삼촌 소식이 왔어요, 삼촌요."

"뭐? 재규가 살아 있다고? 그게 증말이냐, 응?"

말을 마치면서 그 자리에 쓰러졌다.

동네 사람에게 업혀 왔다. 얼마 뒤에 정신이 들었으나 그대로 눕고 말았다.

"당신은 그대로 누워 있어요. 기현이와 내가 다녀올게요."

아내가 기현이와 같이 그대로 누워 있으라고 신신당부를 했다.

"무슨 소리…… 그 애 얼굴은 나만 아는데 누가 간다는 거요."

사실은 그래도 저런 몸으로 일어선다는 것은 무리가 아닌가. 버스를 타고 갈 기력도 없거니와 저런 가쁜 숨으로 어떻게 사람을 구별할 수 있겠는가.

"안 된다. 내가…… 가야 한다. 어서 채비를 차려라."

일어서려다가 주저앉았다. 아내가 부축하여 겨우 몸을 일으켰다.

"고집 좀 부리지 말고 제발 누워 있어요. 무엇하면 그 사람을 집에 오게 해서 보면 될 게 아뇨."

"염려없어요. 내 이래도 아직 자신이 있다고."

수건으로 얼굴과 손을 닦았다. 아내의 도움으로 옷을 갈아입기 시작했다. 제법 화기가 돌아 오를 것같이 보였다.

옷을 다 입고 일어나려다가 옆으로 쓰러졌다.

"여보! 기현 아버지!"

"아버지, 정신 차리세요."

기현은 얼굴이 하얘진 태규를 안아다 뉘었다.

고속버스는 산간을 누비면서 멋있게 달려갔다.

재규는 가벼운 기분으로 창밖을 응시했다,

햇빛이 따끈하게 결실의 가을을 어루만지고 있다. 그 빛에 산야가 황금빛으로 익어 가는 모양이다. 하얀 고속도로가에 펼쳐지는 들은 결실의 황금빛이요, 산과 마을도 온통 노란빛이다. 벌써 벼를 베는 모습도 보인다. 통일벼나 유신벼인가보다. 어렵게 개발한 다수확의 품종이다. 벼이삭이 잘 떨어지고 밥을 지으면 좀 차지지 못한 것이 험이기는 해도 재래종보다 훨씬 많은 수확고를 올리고 있어 장려되고 있는 품종이다.

재규는 한산도를 꺼내 물었다. 깊이 들이마셔 본다. 구수하고도 시원했다. 온몸이 나른해지는 것 같다. 그 기분을 따라 무엇인가 바시시 솟구쳐 가슴에 다가왔다.

"자, 아무 염려 말고 떠나가거라."

형은 어머니 앞에 무릎을 꿇고 앉아 있었다.

"태규야, 재규를 부탁한다."

"안 됩니다. 어머니도 같이 가야 합니다."

"무슨 말이 이렇게 많으냐. 어서 가지 않으면 우리 집안은 대가 끊기고 만다. 어서 가는 것이 돌아가신 아버지에 대한 효도다."

"하지만……."

"내 걱정은 마라. 난 우리 대대로 선조가 살던 마을과 집을 봐야 한다."

멀리서 포 소리가 요란하게 들려왔다. 아마 전선이 가까워지는 모양이다.

"사리원은 우리 가문의 고장이다. 그걸 잊지 말고 살아야 한다."

"어머니, 그럼 부디 안녕히 계셔요."

"오냐! 잘 가거라."

형이 어머니의 손을 한참 만지면서 그대로 서 있었다.

"뭣하느냐, 속히 가지 못하고……"

그제서야 형이 재규의 손을 잡아끌었다.

"어머니께 인사해라. 그리고 어서 가자."

얼른 등 뒤에 숨었다.

"엄마! 난 안 갈래요, 엄마하고 같이 있을래요."

"재규야, 이러면 엄마가 화내신다. 어서 형과 같이 가는 거야."

형이 부드럽게 말했으나 엄마 손을 꼭 잡았다.

"엄마! 안 가도 되지? 난 엄마하고 있을래요."

그 때 엄마가 무섭게 눈을 뜨고는,

"어서 형과 같이 가라. 안 가면 때려 주겠다. 태규야! 어서 데리고 가거라."

라고 매섭게 말했다.

"어서 가자, 재규야……."

엄마를 살금살금 보면서 형의 손에 끌려갔다.

"태규야, 재규 부탁한다……."

엄마가 획 돌아서며 얼굴을 가렸다.

대포 소리가 또 요란하게 들려왔다.

"엄마, 가고 싶지 않아!"

한 번 크게 외치면서도 형의 옆에 바싹 다가서서 따라갔다.

다시 담배 연기를 내뿜었다. 자연(담배 연기)이 공중에서 맴돌았다.

어머니의 그 돌아서서 울던 모습이 또 한 번 눈앞을 스쳐갔다.

어머니! 가만히 불러 봤다. 오래간만에 불러 보는 말이다. 어머니!

수없이 불러 본 말이건만, 별로 실감이 나지 않는다. 그건 아주 먼 나라의 말인지도 모른다.

그 기와집은 어떻게 되었을까. 대추는 지금쯤 붉게 익어 가겠지.

그런데 태규 형은 얼마나 변했을까. 눈썹이 유난히 많고, 주먹코가 아니었던가. 아니지, 삼십 년 가까이 됐으니 봐도 알아볼 수가 없지 않을까. 하나도 분명한 기억이 없지 않은가. 고스란히 남아 있을 수가 없지. 그 이십 몇 년은 그대로 지나간 세월이 아니다. 아니고말고, 하루가 십 년같이 보낸 나날이 아니었던가.

태규 형은 이 재규를 알아볼까. 열서너 살의 소년이 사십이 넘었으니, 그새 변해도 몇 번 변한 것이 아닌가. 사십이 된 얼굴에 열 몇 살의 인상이 남아 있을까. 없을 거야. 남아 있을 리가 없지. 옛날같이 미군의 하우스보이로 같은 부대에 있었던 애들도 서로 몰라보는데, 기와집 도령의 옛 모습이 남아 있을 턱이 없다.

또 담배 연기를 길게 내뿜었다. 들과 산의 노랑색이 그저 눈앞에 어른거려 지나갔다.

그럼 어떻게 서로 알 수 있을까. 태규 형은 그 때 벌써 어른이니까, 옛날 모습을 지니고 있겠지. 있을 거야. 하지만 누구나 고생을 한 때니만큼 아주 몰라보게 변해 있을지도 모르지. 말을 해 보면 알 수 있을까. 음성은 기억이 없다. 아 참, 태규 형은 웃을 때 이가 많이 나오는 편이었던가. 뉘 귀가 크냐고 서로 자랑도 했으니, 아마 귀도 클 거야.

사르르 눈이 감겼다.

"재규야, 어서 와! 어서……."

수원을 지났다고 했다. 발이 부르터서 걸을 수 없다고 떼를 쓰는데 태규 형이 갑자기 일어났다. 어디서 이상한 소리가 들려온 모양이다.

사실 눈으로 뒤덮인 산을 바라보며, 어딘지도 모르고 형을 따라가는데 죽을 것만 같았다. 수많은 피난민이 질서없이 남쪽을 향해서 걸어가는 것이 유일한 희망이었다.

"자, 어서 저길 가 보자."

태규형은 어서 일어나라고 했지만 꼼짝할 수가 없었다.

그 때 비행기 소리와 함께 콩 튀기는 소리가 났다. 기총소사였다. 어떻게 달아나서 엎드렸는지 몰랐다. 잠시 후 저쪽 언덕 위에서 태규 형이 손짓을 하면서 부르는 소리가 들려왔다. 어서 태규 형 쪽으로 가야겠다는 순간, 또 비행기 소리가 났다. 마구 아무렇게나 달렸다.

이번은 한두 대가 아니었다. 사방에서 거미알 떼같이 달려들어 퍼부어댔다. 어디를 보고 피할 틈도 없었다. 태규형은 생각도 나지 않았다. 그 저 언덕 밑을 타고 마구 달려갔다. 숨이 가빠졌다. 얼마 가다가 무엇이 발에 부딪쳤다. 그 자리에 쓰러졌다.

얼마나 시간이 지났는지 몰랐다. 눈을 뜨고 보니 사방이 조용했다. 겁이 났다. 가만히 고개를 들어 봤다. 달이 비치고 있었다. 고개를 움츠렸다. 다시 가만히 고개를 들었다. 달빛이 눈을 비추고 있을 뿐, 사람은 그림자도 없었다. 풀썩 주저앉았다가 다시 일어났다. 태규 형을 찾아야 한다. 어서 태규 형을 찾아야 되는 거야.

"태규 형! 태규 형!"

목이 터지게 부르면서 도로를 찾아 걸어갔다. 이리 가면 태규 형이 있을 거야.

"태규 형! 태규 형!"

뒤에서 트럭이 멎었다. 미군이었다. 그 트럭 위에 실렸다.

트럭 위에서도 도로변을 두리번거렸다. 영 태규 형은 보이지 않았다.

태규는 눈 속을 헤맸다.

비행기가 사라지자, 피난 대열은 또 움직이기 시작했다.

처음에는 저만치에 엎드리고 있는 줄 알았다. 그사이 갈 만한 거리를 두고 다 찾아봤으나 보이지 않았다.

"재규야! 재규야……."

아무리 불러 봐도 소용이 없었다. 사상자를 정리한 피난 대열이 마지막 떠나고 있었다.

"재규야! 재규야!"

태규는 목이 터지게 부르며 헤맸으나 재규는 나타나지 않고 피난 대열의 인영이 멀어졌다. 할 수 없이 그 뒤를 따라 뛰어갔다.

"재규야!"

태규가 신음 비슷하게 외쳤다.

"아버지! 정신 차리세요."

"여보! 기운을 내요."

기현이와 어머니가 태규의 숨소리를 지켜봤다.

3시가 좀 지나서 강남터미널에 내렸다.

도시 어디가 어딘지 알 수가 없다. 별로 와 보지 않은 서울이기는 해도, 이렇게 생판 모르게 변할 수야 없다.

수많은 고속버스가 넓은 광장에 정차되어 있을 뿐만 아니라, 끝없이 들어오고 새로 나갔다.

잠시 서서 정신을 가다듬었다. 방향이 어디고 어떻게 변했느냐보다 적십자사로 찾아가는 일이 급했다.

"택시는 어디서 타는가요?"

옆을 지나는 젊은이에게 물었다.

"택시요? 따라오세요."

그 젊은이의 뒤를 따라갔다. 한참 걸어가더니 사람들이 서 있는 대열에 이어서 섰다. 재규도 그 뒤에 섰다. 철책이 쳐 있었다.

"줄을 따라가자면 한 시간 이상 걸릴 거예요. 적당히 합승을 해서 가세요."

청년은 말을 던지고는 철책을 넘어 서서히 가는 택시에 무어라고 하고는 그 차를 타고 가 버렸다.

실로 잠시 동안이다. 몸에 밴 익숙한 행동이다.

대열이 조금씩 앞으로 밀려갔다. 좀 가다가는 멈추고 또 있다가 조금 가곤 했다.

가끔 철책을 넘어가는 사람이 보였다. 그것을 보면서도 용기가 나지 않았다. 공중도덕은 그만두고라도 여러 사람 앞에서 태연히 철책을 넘어갈 수도 없고 또 서서히 가는 택시에 어디 간다고 사정하다시피 하여 탈 수도 없는 일이다.

시계를 굽어봤다. 벌써 30분이 지났다. 앞은 아직도 멀리 보였다. 이럴 수가 없는데, 이렇게 승객이 빠져나가지 못할 수가 없는데, 버스로 가겠다고 줄에서 빠져나가는 사람도 있다. 몇 번이고 철책을 뛰어넘으려다가 그만두었다. 그까짓것 철책을 뛰어넘는 것은 식은 죽을 먹는 것보다 쉬운 일이지만, 발이 떨어지지 않았다.

'태규 형님! 조금만 기다려요.'

입속으로 말하면서 서서히 움직이는 줄을 따라갔다. 겨우 차례가 되어 바삐 탔다.

"적십자사요? 제2한강교로밖에 못 가는데요."

운전사의 퉁명스러운 말에,

"아무튼 빨리만 갑시다."

라고 말하고는 시계를 보았다. 벌써 15분이 아닌가.

'태규 형님! 조금만 기다려요.'

마음속으로 몇 번이고 되뇌면서 차창을 바라봤다.

택시는 달려 제2한강교를 건너더니 곧장 나가다가 남산을 감돌아갔다.

태규 형을 만나면 무어라고 할까. 머리가 멍할 뿐 언뜻 떠오르지 않는다.

한강과 시가가 한눈에 보였다. 특히 굽어보이는 건물들이 눈에 띄었다. 남산을 감돌더니 다시 굽이쳐 내려갔다. 태종대에 비길 바는 못 되어도 굽이쳐 돌아가는 길이 꽤 멋이 있다. 그 길가 남산이 곱게 단풍져가고 있다.

흰 건물 앞에 차가 멎었다.

택시에서 내리자 안으로 뛰어 들어갔다. 수위의 말이 끝나자 바삐 층계를 밟았다.

층계를 오를수록 가슴이 마구 뛰었다. 숨을 모두면서 마구 층계를 밟았다.

도어 앞에 섰다. 형과 담당자가 눈이 까맣게 기다리고 있겠지. 노크를 하자 예, 하는 소리가 들려왔다. 잠시 머뭇했다. 심호흡을 하고는 도어를 밀고는 안으로 들어갔다.

"어서 오세요. 서재규 씨죠?"

의자에 앉아 있던 조그마한 담당자인 듯한 사람이 권 과장이라고 말하면서 손을 내밀었다.

재규는 발을 멈칫했다. 실내에는 권 과장 외에는 다른 사람이 보이지 않았다.

"아, 형님이 왜 없느냐는 표정이군요. 우선 이리 와 앉으세요."

재규는 권 과장을 보면서 의자에 앉았다.

"사실은 태규 씨가 아직 나오지 않았습니다. 대개 미리 와서 기다리는 것이 상례인데……."

말끝을 맺지 않는 것이 좀 이상하다는 표정이다.

"무슨 연락도 없었나요?"

재규가 다급하게 묻자 권 과장은 고개만 끄떡이면서 말했다.

"너무 걱정 마십시오. 재규씨도 삼십분 이상 늦지 않았습니까."

"그거야 먼 데서 오는 사람과 같습니까. 서울이라면 아무리 늑장을 부려도 이렇게 늦을 수가 있습니까."

권 과장의 침착한 모습에 좀 마음이 가라앉기는 했으나, 왠지 불안한 느낌이 가시지 않았다.

"자, 커피나 드시면서 옛날 일이나 회상해 보세요. 그러면 별로 지루한 줄을 모를 겁니다."

따끈한 커피를 마시니 한결 안정되는 듯했다. 그래도 담배를 꺼내 불을 붙였다.

"자, 인제 곧 형 되시는 태규 씨가 나오실 것입니다. 아침부터 와서 기다리는 분에 비하면 아무것도 아닙니다."

다섯 시가 지나자, 재규는 초조가 더해 갔다.

"혹시 그사이에 무슨 연락이 있는지 알아봐 주실 수는……?"

"아, 염려 마십시오. 연락이 오면 다 이쪽으로 소식이 오게 돼 있습니다."

"권 선생님…… 그래도 어떻게 이렇게 기다리고만 있겠습니까. 직접 찾아가는 것이 어떨까요?"

재규는 권 과장을 응시하면서 말했다.

"염려 마십시오. 조금 기다리다가 소식이 없으면 같이 가 보시죠."

침묵이 흘렀다. 재규는 연방 담배에 불을 붙였다. 시간은 마구 흘러갔다.

"할 수 없군요. 일어서서 가 보실까요?"

권 과장의 말에 일어서 몇 발자국을 떼어 놓는데 문이 열렸다.

"권 과장님! 오셨습니다."

직원이 들어와서 머리를 굽혔다.

두 사람의 눈이 빛났다.

"어서 들어오시라고 해요."

재규의 가슴은 또 뛰기 시작했다. 태규 형님을 보고 무슨 말을 하지? 무어라고 해야지?

직원이 나가자 다시 문이 열렸다.

재규는 두어 발자국 앞으로 다가선다. 태규 형님, 옛날 그대로일까.

문을 밀면서 기현이 들어왔다. 가슴에 무엇을 안고 있다.

"아니, 이건……."

재규는 우뚝 그자리에 멈추었다.

기현이 조용히 앞으로 걸어왔다. 재규 앞에서 발을 멈추었다.

"아버님이십니다."

재규를 바라보면서 기현이가 나직이 말했다.

재규는 눈앞이 캄캄하고 정신이 아찔했다. 몸을 바로 가누고 눈을 다시 떴다. 영정이 번히 떠 보였다. 망연히 바라봤다. 주먹코며 이마며 얼굴 모습이 태규 형님이 틀림없다.

"오늘 정오에 가셨습니다. 제 손을 잡으시고 재규야, 라고 부르면서 운명하셨습니다."

기현의 말이 떨어지자 재규가 무릎을 구부리고 영정을 응시하다가는,

"형님! 태규 형님! 재규가 왔습니다, 재규가요!"

채 말을 끝맺지도 못하고 영정을 안고 뒹굴었다.

"태규 형님! 재규예요, 재규…… 말 좀 해 봐요, 재규를 불러 봐요, 네? 형님!"

"작은아버지!"

망연히 서 있던 기현이도 영정을 안고 뒹구는 재규를 부여안고, 울음을 터뜨렸다.

"작은아버지! 왜 일찍 오지 않았어요. 네……?"

"형님! 굽어보지만 말고 말씀 좀 해 봐요. 말씀을요, 형님……."

"아버지! 작은아버지예요, 그렇게 보고 싶어하던 작은아버지예요."

재규와 기현이 영정을 부여잡고 뒹굴며 울부짖는 소리가 실내를 메아리쳐 창 너머로 번져 갔다.

이문구

화무십일

지은이

1941~2003. 충남 대천 출생. 1966년 《현대문학》에 단편 〈다갈라 불망비〉,
〈백결〉 등이 추천되어 문단에 데뷔했다. 그는 충청도 토속어의 대담한 구사를
통해 도시 빈민층과 농민 등 소외된 사람들의 모습을 생생하게 그려냈다.
1972년 〈장한몽〉으로 한국창작문학상을, 1978년 〈우리 동네 김씨〉로 한국
문학작가상을 수상했다.

화무십일
—관촌수필 2

　신작로 초입에는 여러 채의 오죽잖은 집장수 집들이 좁좁하게 늘어서 있었는데, 그 중에서도 그 시간까지 창밖으로 불을 밝히고 있던 집은 관촌이발소였다.

　그 이발소의 형광등은 제법 구실을 하여, 건너편 주막집의 신통찮은 간판이며, 판자 울타리에 붙어 있던 혼분식 장려 담화문까지도 부옇게 밝혀 주고 있었다. 이발소 안에는 젊은 사내 몇이 난롯가에 둘러서서 어름거리고 있었는데, 아마도 일찍 들어가기에는 한 일이 너무 없어 미루적거리고 있는 이발사들 같았다.

　나는 문득 그 이발소 안을 잠시 들여다보고 갔으면 하는 엉뚱한 생각이 솟았다. 그 안으로 들어가서 나도 느루 쓰느라고 마디게 태워 끄느름한 연탄 난롯가에 서성거리면서, 아는 사람들 소식을 두루 묻든가, 아니면 담배라도 한 대 끄고 나서면 옥죄인 가슴이 조금은 풀릴 것 같은 느낌이었다.

　그런 어쭙잖은 잡념으로 이러지도 저러지도 못하고 엉거주춤 서 있던 나는, 나 자신도 모르게 흠칫 놀라지 않을 수 없었다. 난데없는 사람이 이만한 그림자를 데리고 이발관 앞을 지나갔던 바, 그 뒷모습이 너무도 눈에 익은, 그러나 이미 오래 전에 잃어버린 바로 그 사람의 그것과 아주 닮은꼴이기 때문이었다.

나는 다시 한 번 먼젓것에 버금가는 섬뜩함을 느꼈다. 그것은 단순한 엉겁결의 착각일 뿐, 역시 그 영감의 모습은 아니었던 것이다.

그저 지나치던 무심한 행인이 하필 그렇게 보일 것은 무엇인가. 더구나 나보다 십여 년이나 앞질로 관촌부락을 등졌고, 떠나던 마지막 뒷모습을 시야 바깥까지 전송한 기억도 선명한 터에.

그럼에도 갈 길을 가던 행인의 뒷모습이 어둠과 한가지가 되도록 지켜보았으니, 그 행인이 윤 영감으로 헛뵌 까닭은 그 다음에야 알 수 있었다. 공교롭게도, 물론 우연이지만, 그 행인 역시 여러 가지 소반을 한 짐 잔뜩 짊어진 소반장수였던 것이다. 나이도 그만할뿐더러 차린 주제꼴이나 하며, 늙어 추레한 모습이 천연 윤 영감이던 것이다. 내가 내처 윤 영감의 옛 모습을 챙겨 되살려보기 비롯한 것도 그래서 그리 된 거였다. 나는 걸어나오면서 윤 영감의 일을 차근차근 되살려 보기에 추위마저 잊고 있었다.

그 해에 있은 일들을 회고하면 시방도 몸서리가 나며 끔찍스럽기만 하다. 그날 그날이 하루같이 징그러워 생지옥으로만 여겨지던 해였으니까.

내남적없이 난리 끝에 우습게 지어 거둔 농사라 세안부터 양식이 달랑거리지 않은 집이 없었으므로, 그 무렵에는 부황 안 난 집이 드물고 채독 들지 않은 사람이 귀하던 시절이었다. 해토머리를 맞고부터 곡기 끊긴 집이 하나둘 늘어 갔고, 주리다 못해 배를 졸라매며 들머리를 둘러보면 보리밭은 겨우 5월 그믐께 못자리 꼴, 어느 세월에 배동 오르고 패어 풋보리죽이나마 양을 채우게 되는지 막연한 판이었다. 처마 밑에 매달린 시래기 몇 두름을 진동항아리 위하듯 할밖에 없었고, 먹잘 것이라고는 사방을 휘둘러보아도 세월 없이 괴어 흐르던 동네 우물물뿐인

마른 봄판이었다. 그럼에도 기적 같던 것은, 굶어 죽어 간다는 사람이 없는 일이었다. 진잎에 된장기 하여 국물로 배를 채우고, 밀기울로 개떡을 쪄서 요기해서라도 주려 죽었다던 사람은 없었던 것이다. 그래도 관촌 사람들은 땅을 내놓거나 하지는 않았다. 막막한 대로 참고 견뎌 보자는 배짱이었다.

마을 사람들이 푼돈이나마 얻어 연명할 수 있을 수단이라고는 개펄에 나가는 일이었다. 게나 조개를 잡고 고둥과 파래를 뜯어내는 일, 그리고 산에 올라 나무를 해다 돈사서 가루 되라도 팔아다 잇는 두 가지 방도뿐이었다. 그런 기막힌 사정은 우리 집도 마찬가지였다. 아니, 다른 어떤 집보다도 더 절박한 사정이었다. 그것은 난리 났던 해에 지은 농작물을 치안대에 의해 모조리 압수당한 여파였다. 벼는 영글기가 무섭게 베어가 버렸고, 밭에서 익던 그루갈이는 물론, 속이 덜 든 김장 호배추까지도 싹 쓸어 갔었으니, 그 너른 밭자락에 줄파 한 뿌리 남아 있지 않았던 것이다.

피난 갔다가 돌아왔을 때 집에 남아 있던 것이라고는 기둥뿐이었다. 살강 밑의 부러진 숟갈 한 도막, 헛간에서 장작 한 개비를 구경할 수 없었다. 사랑에는 퇴침 한 개가, 대청 밑 주추 옆엔 귀떨어진 약탕관이 나뒹굴고 있을 정도로 완전히 패가한 형편이었다. 그런 폐허 속에서 우리가 죽지 않은 한 가지 방법은 땅을 맡기고 빚을 내어 먹는 것뿐이었다. 곱장리 쌀이라도 얻어다 먹어야 기둥만 남은 집이나마 명맥을 이어갈 수 있었던 것이다. 그러나 마을 안팎이 막판에 이르러 있었으므로 그 노릇도 수월하지가 않았다. 결국 어머니가 생각해 낸 것은 서원이었다. 어머니의 생각이 전해지자 서원에서는 고인이 된 할아버지에 대한 추념을 보태어 장리쌀을 내주기로 조치하였다. 따라서 우리는 곡기가 끊이지 않을 수 있었고, 부황이나 채독에 걸려 신음하는 꼴을 면할 수 있었다.

윤 영감네 일가가 관촌부락에 떠들어온 것도, 그렇게 죽지 못해 삼동을 물리고 해가 원수같이 길어지기 시작한 어름이었다.

자고 나서 내다보면 신작로는 아침부터 부산하게 움직이고 있었다. 며칠 동안이나 되풀이한 착각이었지만, 언뜻 보면 틀림없는 장꾼들이었다. 그러나 그들은 장꾼들이 아니었다. 그들은 한결같이 읍내를 뒤로하고 북상하는 걸음이었다. 입성을 보아도 땅뙈기나 뒤지며 뒤엄지게를 지던 두메 사람들이 아니었다. 사람마다 어리면 어리게 지고 늙은이는 가볍게 졌으니, 그들이 지고 인 것들은 물건이 아니라 이삿짐이었던 것이다. 비 맞을 채비까지 하여 꾸려진 이불 보퉁이, 솥단지, 양동이 따위, 분명히 사람 손으로 나르는 이삿짐이었다.

"저게 죄 이북서 피난 왔다 가는 사람들이래유."

마을 사람들은 그네들을 구경하면서 그런 말을 하고 있었다.

"난리 속에서두 서울이 좋기는 좋은가뵈."

"그렇잖건남. 이왕 새루 터를 잡구 살라면 너른 디루 가서 잡으야지 촌구석이서 뭣 먹구 살게. 내 땅 못 부치면 제바닥 사람두 살기가 거시기 헌디."

"저냥 한무세월허구 한둔해가며 걸어가자면 오죽 되구 어려울까."

"저이들은 괜찮유. 아, 이북서 온 사람들이 월매나 독헙디까. 끄떡웂을껴."

"건건이가 웂어 맨밥을 먹더라던디……."

"그래두 먹을 게 있으니 우리네버덤 낫네유. 양석만 있으면 찬이 문제간디."

마을 사람들도 남의 일 같지 않아 그런 걱정들을 하고 있었다. 피난민들의 상경 행렬은 날이 저물도록 계속되었고 하루이틀에 그친 것도 아니었다.

그들은 점심때가 되면 약속이나 된 듯이 모두 관촌부락으로 밀어닥쳐 짐을 내렸다. 양지바른 산기슭에 물이 흔한 까닭이었다. 그네들은 흔히 오붓한 바위 밑이나 바람 없이 볕이 잘 괴는 논둑 밑에 자리를 잡았다. 자리가 만들어지면 어른과 아이는 두 패로 갈려, 각자 맡은 바에 충실하고자 뒤 한 번 돌아보지 않았다.

3대에 걸친 네 분의 신명을 하루아침에 잃은 폐허 속에서 겨우 살아남아 외롭게 된 나로서는, 그네들 한 가족이 소꿉장난하듯 움직이는 꼴이 여간 부럽지 않았다. 가장인 듯한 사람은 돌로 솥걸이 화덕을 만들었고, 주부는 우물에 와서 식사 준비를 했으며, 아이들은 뒷산으로 치달아올라 나무를 줍는 거였다. 낫이나 갈퀴가 없으므로 솔방울, 삭정이 따위를 주웠고, 때로는 논이나 밭고랑에 낸 퇴비와 두엄을 걷어다 때기도 했다.

점심이 끝나면 지체없이 가던 길로 다시 들어섰고, 이튿날에는 다른 가족이 뒤를 이어 같은 일을 되풀이하고 있었다. 그러나 해거름녘에 닿은 사람들은 으레 하룻밤 묵어 가기로 작정한 것 같았다. 그들은 빈방을 빌려 가지고 군불까지 지펴 가며 노독을 풀었다.

우리 집은 항상 그런 사람들로 붐비고 있었다. 집이 너른데다 가족마저 반실되어 주인 잃고 놀던 방이 한두 칸이 아니었으니, 찾아온 길손들로 문전성시를 이룰밖에 없는 일이었다. 더구나 마을에서 허우대 좋기로 으뜸가던 집이었으니 그들이 주목을 한 것도 당연한 일이었다.

우리는 빈 방을 서슴없이 내주기는 했지만 그들을 달갑게 여기거나 측은하게 생각한 적은 없었다. 성가시고 시끄럽기만 했으니까. 그것은 너무도 시달리고 부대낀 탓이었다. 그것은 떼거리로 몰려온 그들의 요구 사항을 선뜻 들어줄 형편이 아니었기 때문이었다.

그들은 여러 가지를 요구하고 있었다. 값지다거나 소중한 것도 아니었다. 간장·된장·소금·고춧가루, 더러는 김치 맛보기를 원으로 하던 이도 있었다. 하룻밤 묵어 가기로 작정한 경우, 아녀자들은 버덩이나 등성이 기슭, 그리고 논두렁과 밭두둑으로 퍼져 새로 돋아난 나물들, 쑥·냉이·소루쟁이·질경이 따위를 뜯어다 삶던 것이다.

모든 것을 얻어다 먹던 우리 형편으로서는 어느 한 가지도 그들이 원하는 것을 나누어 줄 수가 없었다. 앞서 말한 바와 같이 장독대에 가 보았자 토 뜨는 간장 한 종지, 맛 가신 된장 한 덩이 남아 있지 않았던 것이다. 그러나 그네들은 없다는 말을 곧이들으려 하지 않았다. 이렇듯 덩실한 집에서 박절하게 거절할 법이 없다던 거였다. 특히 적삼 위로 제법 가슴살이 오른 처녀나 여남은 살 된 계집애가 그릇을 들고 들어섰다 하면, 우리가 별소리를 다해서 빌어도 소용이 없던 것이다.

"사람이 집 떠나면 독해진다더니 증말이구먼. 워쩌면 그리 비윗장이 끈적대는구."

나그네라면 넌더리가 났던 어머니는 결국 그들의 끈기를 감탄해 마지 않았다. 그렇잖아도 씁쓸한 쑥국을 맨탕으로 끓이면 어찌 먹겠느냐, 양념 없이 무친 들나물인데 간을 못하면 짐짐해서 어찌 먹겠느냐, 그들은 그런 항의를 하면서 대문간이나 토방에 눌어붙으면 물러갈 줄을 몰랐다. 정말 없어서 못 주는 딱한 사정——지금 돌이켜 생각해 봐도 웃을 일이 아니었다. 윤 영감네 일가를 만날 수 있었던 것도 바로 그런 경우였다.

윤 영감네 일가가 우리 밭마당 가장자리 도랑 옆에 짐을 풀고 안으로 들어온 것은 그 무렵 어느 날, 저녁 식사도 마친 해거름녘이었다. 육순이 바라뵈는 귀밑머리 허연 늙은이가 턱밑이 안 보이게 등이 굽은 노파를 앞세우고 들어오던 것이다. 아침에 나간 방이 있다는 것을 누구한테 들었어도 듣고 왔다는 표정이었다. 대문간에 텅 비워져 있던 머슴방, 휑

하게 열려 패어 있던 누더기 문짝, 우리 집에는 아무도 마다할 만한 사람이 없었다. 식구는 넷, 날이 새기 바쁘게 떠나겠다는 거였다. 그랬던 사람들이 이튿날 해가 서너 발이 넘게 오르도록 짐 꾸리는 기척을 보이지 않았다. 말 한마디 문 밖으로 흘러나오지도 않았다. 가끔 어린것이 보채며 우는 소리가 들리는 듯하다가 그칠 따름이었다. 점심때도 겨워서야 영감이 어머니를 찾았다.

영감은 말했다. 양식이 끊겨 움직이지 못하게 되었다, 아무 일이나 며칠간만 부려 다오, 네 식구가 굶지만 않게 해 주면 새로운 용기를 내어 가던 길을 떠나겠다. 하기는 쉬울는지 몰라도 실현되기가 어려운 말이었다. 그 어려움은 입이 너무 많은 데에 있었다. 영감 내외에 며느리인 듯한 스무남은 젊은 여자, 그리고 젖먹이 어린것, 그 네 식구의 호구를 돌보아 준다는 것은 너무나 과중한 부담이었다.

어머니가 난색을 보이자 영감은 잠시 후 좀더 구체적인 조건을 내놓았다. 한 끼에 밥 두 그릇씩만 달라는 거였다. 모자라는 만큼은 며느리를 내보내어 보태서 먹겠다던 것이다. 어린 내가 보기에도 어쩔 수 없는 사정이었다. 한나절을 두고 궁리를 거듭한 어머니가 영감을 불렀다.

"우리두 뭬라 말허기가 거시기 하오만, 피차가 도웁자는 게니 집의 요량대루 해 보우."

장리쌀로 연명해 나가던 형편으로는 무모한 짓이 아닐 수 없었다. 그러나 이듬해 농사를 짓기 위해서는 선머슴이라도 두지 않으면 안 될 판이던 것이다. 영감은 구레나룻이 태모시처럼 센 노인이었지만 그런대로 강단이 있어 보였으며, 노파도 마찬가지로 들무새 일에는 몸을 사리지 않을 만큼 정정한 편이었다. 그러나 물건은 역시 며느리였다. 못 먹고 가꾸지 못한 채 몇백 리를 걸어오며 젖을 빨린 애어머니답지 않게, 어느 모로 보나 깨끗한 맵시를 하고 있었다. 살결이 보기 드물게 고왔고, 손발도 오목조목하니 볼 만했다. 시국과는 아무 관계 없이 한창 피어나는 여자였다.

"애나 웂었으면 한 부주 되지…… 청상에 홀로 됐으니 예삿일이 아니더라. 인물두 번번허구, 그 살림에 메누리 하나는 방짜루 얻었던디."

어머니는, 아니 마을 사람들도 그녀를 무턱대고 과부로만 알고 있었다. 난리통에 혼자 됐으리라는 것은 물어 확인해 보지 않더라도 누구나 어림할 수 있던 일이었으니까.

영감은 본디가 생일밖에 배운 게 없는 농투성이던가 보았다. 그는 그동안 우리가 아쉬워한 것이 무엇인지를 대번에 알아차렸고, 그것을 스스로 추슬러 나갈 줄을 알고 있었던 것이다. 며느리는 사흘째 되던 날부터 새벽에 나가고 밤늦어 들어오곤 했다. 읍내 어느 여관에 나가 부엌일을 하게 됐다는 거였다. 온종일 일을 해 주고 얻어오는 것은, 식은

밥과 먹던 반찬 찌꺼기가 전부라고 했다. 사실 자정이 다 되어 들어오던 그녀를 보면 으레껀 찌그러진 양동이를 보자기로 덮어 이고 오던 것이다.

영감에게 맡겨진 일은 땔나무 해들이기와 보리밭 웃거름 주기, 그리고 김매기였다. 영감이 꾀를 부리지 않아 어머니는 항상 됐다는 표정이었다. 그네들을 붙인 것이 다행스러웠던 것이다. 어머니는 곧잘,

"솔이두 쬐끔만 참구 고상허거라. 햇보리만 잡히면 그 작은 배야 곯리겠네?"

하며 어린것을 달래는 거였다.

솔이란 송이를 일컬음이었는데, 우리도 영감 내외가 하는 대로 솔이라고 불렀던 것이다. 어머니는 차츰 그들이 사경 없는 머슴으로 한 해 농사나 마쳐 주고 갔으면 했는데, 그것은 윤 영감네 일가도 속으로 은근히 바라던 바와 같은 거였다. 어차피 고향은 가지 못할 것, 설령 서울로 간다더라도 의지가지 해 볼 만한 근거가 없었으니까. 그러나 윤 영감이 되풀이하던 주장대로, 예정한 바에 맞추어 떠나지 않고 주저한 것은, 어머니와의 정의를 떨치고 돌아설 용기가 없는 탓이란 말에도 일리가 없지 않던 것 같았다. 그것은 아주 사소한 일이었다.

그들이 문간방에 며칠 머물기로 하고 이틀째 되던 날 밤으로 여겨진다. 자정이 넘었음에도 내가 잠에서 깬 것은 어머니가 꼬집어 댄 때문이었다. 눈을 뜨자마자 이내 그 까닭을 알게 됐는데, 그것은 문간방에서 청승맞은 울음소리가 들려오고 있었던 것이다. 여겨 들으니 노파의 울음소리가 분명했다. 넋두리도 없이 흐느끼던 소리——장마 중에 우는 이무기 소리처럼 여간 불쾌하고 흉측스러운 소리가 아니었다.

그 울음소리는 동이 부엿해 가는데도 좀처럼 그치려 하지 않았다. 듣고 모른 체하기도 어려운 노릇, 망설이다 말고 어머니가 문간방으로 나

갔다. 지금도 아쉬운 것은 그네들이 쓰던 사투리를 흉내낼 수 없음이다. 자고 새면 영감의 환갑날이라는 거였다. 환갑날 아침을 빌어다 먹게 된 기박한 신세를 생각하니 울음이 안 나오겠냐는 것이 노파의 해명이었다.

　"이 난리통구리에 환진갑 개보름 쇠듯기 허기두 예사지 그게 그리 슬허……."

　어머니는 여러 말로 위로를 해 주고 돌아와서도 이해가 안 되던가 보았다. 이름도 성도 없이 개죽음한 사람이 지천이고, 끼닛거리가 간데 없는 주제에 별 배부른 수작도 다 보겠다는 투였다. 기아를 면한 것만도 과분한 줄 아는 것이 도리거늘, 하물며 환갑 잔치 못함을 비관하며 아닌 밤중에 요망스러운 울음소리를 낸단 말인가. 어린 내가 생각하기에도 밉살맞지 않을 수 없었다.

　밝은 날 아침, 나는 무심결에 어머니가 손수 문간방으로 내가던 밥상을 보았다. 놀라운 일이었다. 반찬이 색다르다든가 해서가 아니었다. 밥사발이 넘어지게 고봉으로 푼 하얀 쌀밥을 해내 가기 때문이었다. 그것은 할아버지 삭망 차례에도 좀처럼 보기 어렵던 일이었다. 잠시 후,

　"쳐자를 앞헤놓구서리 눅순 잔챗상을 주인아즈마니 손으로 얻어먹네다……."

하는 노파의 음성이 들려왔다.

　"아즈마니 이거 넘체없습네다……."

　그 날은 영감도 그 한 마디밖에 더 할 말이 없었겠지만, 우리 집 농사가 추수를 볼 때까지 머물고자 작정한 것은 그 날부터라던 거였다. 영감은 말끝에 덧붙여,

　"아즈마니, 금년에는 복받으셔서 풍년이 들 게라오. 내가 풍년이 듭시사 허구서리 많이두 빌었시요. 그 날이 자 축 인 뫼…… 뉴모일이었시요."

라는 말도 했다.

영감은 호미씻이를 앞당길 정도로 재래 월령과 영락없이 전답을 거둬 낼 줄 알던, 나무랄 데 없는 훌륭한 일꾼이었다. 솔이는 배를 곯지 않아 잔주접 없이 자라며 적적했던 우리 안방의 재롱둥이로 한몫 했고, 솔이 엄마도 날마다 읍내 역전거리 오복여관을 군소리 없이 다니고 있었다. 그녀는 식은밥 대신 돈으로 월급을 받게 됐다고 했다. 솔이 할머니도 부지런히 품팔이를 다녔으며, 구장이 힘써 주어 면으로부터 배급을 타기도 했다.

솔이 아버지가 비로소 몸을 내민 것은 그럭저럭 달포 남짓이나 아무 소리 없이 지나고 난 뒤였다. 그것도 솔이네 식구의 자백에 앞서 우리가 먼저 발견한 사건이었다.

어느 날 밤, 그 날도 역시 자정이 겨웠을 무렵이었다. 솔이네 방에서 또다시 울음소리가 들려왔던 것이다. 여전히 음울한 울음소리였다. 솔이 할머니가 흐느끼는 소리였다. 우리는 소스라쳐 놀라 귀를 기울였지만 무슨 사단으로 그러는지 어림할 수가 없었다. 어머니는 혹시 당신의 언동이 그네들에게 무슨 설움이 되어 불화라도 있었나 하고 불안해했지만, 아무래도 짐작이 안 가는 모양이었다.

너무도 뜻밖의 놀라운 사실을 발견한 것은, 영문을 몰라 모자가 얼굴만 마주한 채 어쩔 바를 몰라할 어름이었다. 솔이네 방에서 생전 처음 듣는 사내의 음성이 새어 나온 것이다. 굵고 우악스런 사내의 음성이었다. 게다가 겹쳐 더욱 놀랍던 것은, 그 음성의 주인이 윤 영감의 아들, 곧 솔이 아버지라는 점이었다. 그것은 오고 가는 말투만으로도 미루어 단정하기 넉넉한 일이었다. 어떻게 된 셈일까. 이해를 할 수 없는 일이었다. 그동안 내내 듣도 보도 못한 솔이 아버지가 갑자기 나타난 것이 그렇고, 그로 인해서 집안이 시끄러워진 내막이 그랬다. 여태 혼자 떠돌아다니다가 방금 찾아 들어온 모양이었다. 엿들어 보니 모자 간에 말다툼이 벌어진 셈이었다.

언쟁의 동기는 솔이 엄마의 여관 종업원이었다. 그날 밤 그녀는 아무 기별조차 않고 집에 들어오지 않았던 것이다. 그것도 뜻하지 않은 일이었다.

이튿날 솔이 할머니가 안방으로 건너와서 어머니한테 털어놓고 들려준 비밀은, 우리가 예상했던 바를 송두리째 뒤집는, 여간내기가 아니고서는 하기도 어려울 일들이었다.

이름은 학로, 이제 스물여섯 살, 단산할 나이에 맏자식으로 얻고 그만이었던 외아들로서 세 식구가 1·4후퇴 때 함께 월남한 터였다. 솔이 할머니는 목이 메어 간신히 말을 이어 가고 있었다.

그네들은 내내 밤으로만 걸어다녀야 했다. 허우대만 그럴싸하면 덮어놓고 잡아다가 군인을 만들던 판이라 그러지 않을 수가 없었다. 그녀는 장가도 못 들인 외아들을 어떻게 전쟁터에 보낼 수 있었겠느냐고 말했다. 그래서 낮에는 늘 가마니 속에 담아두지 않으면 안 되었다. 부득이 대낮에 이동하지 않을 수 없었던 경우에는 영감이 가마니에 담은 아들을 지게로 져날라야 했다. 허리가 부러지게 지고 다닌 거였다. 솔이 엄마를 며느리로 맞게 된 것은 임진강을 건넌 직후였다. 부모를 따라 함께 도강은 했으나 폭격이 한차례 거쳐간 뒤로 고아가 되어 버린, 두고 보기가 딱한 처녀를 길에서 만났던 것이다. 그 처녀는 사지가 발겨진 채 고드래떡으로 굳은 부모 시체를 땅바닥에 뒹굴리며 하염없이 몸부림을 치고 있었다. 그 정경을 몰라라 하고 그대로 지나치지 못한 그들이 주검을 묻어 주고 동행이 됨으로써 이루어진 혼사였다. 그들은 함께 경북 군위읍까지 피난살이를 옮겨갔었다. 학로가 그녀와 보리죽을 먹고 초야를 치른 것은, 이슬이 달빛처럼 부스러져 내리던 어느 밀밭 고랑이었다. 두 늙은이는 그 일을 몹시 기특하게 여겼다. 그들은 많은 것을 기대했고, 젊은것들을 세상에 없어하며 상전 받들듯이 했다.

"이리 될 줄이야 누구레 생각이나 해봤갔시오……."

솔이 할머니는 그 대목에 이르자 한차례 눈물까지 지었다. 부모를 어렵게 알고 매사에 순종하던 아들이 날이 갈수록 거칠어 가던 것이다. 부모를 업신여기고 언사가 거칠어졌으며, 그들 내외의 금실도 악화일로였던 것이다. 유리걸식을 하던 비참한 처지에서도 그랬고, 솔이가 생긴 뒤에도 그랬다.

"쯧쯧……부자 쌍내외가 한방에서 복작댔으니 여북했겠수."

더 듣지 않고도 어머니는 모든 것을 이해하겠다는 표정이었다.

학로라는 사내가 문밖을 얼씬 않고 송장처럼 이불을 뒤집어쓴 채 방구석에만 처박혀 두더지 시늉 한 까닭이, 다만 병역 기피를 위함이었음도 우리는 그제서야 알았지만, 그는 방에서 물수건으로 세수를 했고, 뒷간도 어두워진 뒤에나 출입했다는 거였다. 누가 들어도 기막힐 일이었다. 그런 일이 있고도 사흘이나 지나서야 우리 식구는 처음으로 솔이 아버지의 얼굴을 구경할 수 있었다. 그 스스로 자청해서 안으로 인사를 왔던 것이다. 봉두난발에 고슴도치처럼 자란 수염은 아무리 잘 보려 해도 사람 꼴이 아니었다. 얼굴은 뜨다 못해 허옇게 쇠어 있었으며, 여리기 나무젓가락만한 손가락은 하들하들 떨리고 있었다. 무척 양순하고 조심성 깊은 청년인 듯하면서도, 잔뜩 지르숙은 고개 밑으로 곁눈질하는 꼴은, 어지간히 융통성 없고 소갈머리 좁은 얼뜨기 같기도 했다. 질서가 다소 잡혀, 가호적이나 기류계가 없이는 징집 영장도 안 나오기에, 이제는 신분을 공개해도 무방할 것 같아 드디어 햇볕 아래에 나서기로 결심했다는 거였다.

그 후로도 솔이네의 가정 불화는 그칠 날이 없었다. 솔이 어머니의 외박이 잦아졌던 것이다. 일에 바빠하다 보면 통금에 걸려 못 들어온다 던 것이 그녀의 변명이었는데, 학로는 그것이 절대로 용서할 수 없는 일이라던 것이다. 그러므로 학로가 의처증에 시달린 것도 당연했는지 몰랐다. 문제는 나날이 복잡하고 어려워져 갔다. 솔이 엄마의 알 수 없 는 태도 때문이었다. 그녀는 시부모의 꾸중과 만류를 무릅쓰고, 아니 남 편이 이틀이 멀다 하고 휘젓는 장작개비 찜질마저 우습게 알고 끝끝내 여관을 나갔던 것이다.

만나면 만나는 사람마다 솔이 엄마를 입살에 올려 쑥덕방아였다. 모 두들 그녀가 나쁘다는 것이었고, 학로를 동정해 마지않는 공론이었다. 납득이 안 간다던 것이 그 이유였다. 더러는 학로를 나무라는 의견도 있었다. 여편네 하나를 휘어잡지 못한, 지지리도 못난 숙맥이라는 비난 이었다. 여관 종업원이나 단골 손님 가운데 이미 배맞은 사내가 없을 법도 없다는 말마저 들려오고 있었다. 그런 사람들 가운데에서도 어떤 이는,

"여관방에서 삼팔선을 없앤 통 큰 여자가 본서방 미서워서 헐 짓 못 헐 중 아남."

"이남 사내허구 이북 지집이 통했응께 남븍 퇭일은 분명헌디……." 하고 웃었다. 아무나 예사로 주고받던 말처럼, 그녀의 절조를 믿으려 한 사람은 약으로 쓸래도 찾아볼 수 없던 것이다.

학로가 오복여관으로 직접 찾아가 솔이 엄마 머리채를 끌어온 것은 그런 소문이 파다해진 다음이었다. 학로는 신작로가의 차중철이네 주막 에서 취하게 마신 다음 모처럼 숫기 있는 일을 해 보였던 것이다. 그녀 는 며칠 동안 우물가에도 얼씬 않고 방구석에만 틀어박혀 있었다. 붙들 려 오기가 무섭게 머리를 깎였던 것이다.

그 대신 학로가 돈벌이를 하러 발벗고 나선 것은 누구나가 바라던 일

이었다. 남들이 주선해 주어 그리 된 것인데, 취직이라기보다는 객공살이였다. 내력도 간판도 없이 가내 수공업으로 소반·목판 따위를 짜서 팔아먹던, 장터 초입의 왕이라는 사람네 일간으로 말이 되어 나가기 시작했던 것이다. 학로는 원래 손재주가 있는데다, 사변 전에는 쟁반·예반 등을 깎아 먹던 쟁이네 드나들기를 취미로 했으므로, 어지간한 연장은 다룰 줄 모르는 것이 없었다고 했다.

그는 연장 망태만한 구럭 속에 결흑통을 비롯, 까뀌·가심끌·깔종·후리대패·굽자, 갖은 톱 등속을 담아 들고 게으름없이 드나들었다. 손속도 걸싼 편이라던 것이 남들이 이르던 말이었다. 그가 나가기 시작한 지 달포도 안 되어 목공 월급을 받게 된 것도 순전 타고난 손재주 덕이라던 것이다. 소문은 또 본뜨는 솜씨도 여간 아니어서 원반·개다리소반·책상반·호족반·두레반·교자상 하여, 그의 손만 가면 무엇이든지 이루어지지 않는 것이 없다는 거였다.

솔이 엄마 손에도 제법 살림이 잡히어 가고, 그럭저럭 영감네 셈평도 펴이는 것 같았다. 마을 사람들은 모두들 자기네 일처럼 흐뭇해하고 있었다. 학로도 살아 보고 싶은 의욕이 생기는 것 같았다. 그의 뜨는 메주 같던 얼굴에도 모처럼 화기가 돌고 있었던 것이다.

그것이 몇 조금 못 가고 다시 열패감에 젖어 자학적인 좌절만 하지 않았더라도 그는 갸륵한 아들일 수 있었고, 무던한 가장으로서 바닥난 집안도 제대로 일으켰을 터임에 틀림없었다.

진실로 애석한 일이었다. 가정 분란이 재연되면서 그가 의기를 잃고 좌초한 기미를 보이기 시작하자, 그를 잠시라도 사귀어 본 사람이면 한결같이 불안해하며 위로할 바를 몰라하고 있었다. 아내의 바람기가 고질이 되어 의처증을 떨쳐 버리지 못한 것이 원인이었다.

그런 중에도 가장 치명적이었던 사건은, 학로 자신이 직접 아내의 정

부였던 자를 목격한 데에 있었다. 막연한 채로 추측만 해 보았을 일이
그토록 들어맞는 수도 있을까 싶을 지경이었다.

오복여관 단골의 그 장돌뱅이 서울 사내와 몇 차례나 잤더냐고 학로
는 족쳐대기 시작했다. 밤마다 계속된 몽둥이찜질과 울부짖음으로 안
일이지만, 학로도 처음에는 소반 공장으로 마을 왔던 이웃 사내와 공장
주인 왕이 주고받던 음담패설 가운데에서 눈치를 챘고, 이윽고는 만화
책 두 권에 넘어간 중학교 1학년짜리 오복여관 막내아들을 꾀어 증언시
킴으로써 모든 것의 확증이 잡혔다고 학로는 주장하고 있었다.

솔이 엄마는 종시 유구무언이었다. 부인할 수 없는 과오를 침묵으로
고백한 셈이었을까. 학로는 절반 이상 실성한 것 같았고, 광적으로 아내
를 닦달하고 있었다. 그러면서 낮으로 소반 공장을 열심히 나간 것은

아내의 부정 행위에 관한 방증 수집에 혈안이 되어 있었기 때문이었다.

어머니는 밤마다 문간방에서 일어나던 폭력 행위를 가로맡아 말리는 것으로 일과를 삼았다. 늙은 부모나 말 못 하는 어린 자식을 보아서라도 지난 일을 잊으라고 타이르기에 지쳐 누울 지경이었다. 따라서 솔이 엄마도 호되게 꾸짖지 않은 것이 아니었다. 부디 개관천선하기를 누누이 당부했으며, 하루바삐 과거가 일소된 새 출발이 되기를 빌듯이 달랬다. 정말 남의 일 같지 않게 신칙하지 않을 수 없었던 것이다.

그러나 언제 어떻게 마무리될 것인지는 예측할 수 없었다. 첫째로는 솔이 엄마에게 욕됨을 뉘우치는 빛이 없었고, 그에 따라 학로의 발광도 숙어들 기미가 보이지 않고 있었던 것이다. 학로의 폭력이 광적인 모습을 띠게 된 것은, 그 장돌뱅이 서울 사내가 오복여관에 하숙을 정한 채 버티고 있은 까닭이었다. 학로의 주장을 뒷받침이라도 해 주듯, 여관까지 가서 직접 확인하고 온 사람도 한둘이 아니었다. 허여멀끔한 허우대나 하고, 돈푼이나 뿌리게 생겼더라는 것이 그 사람들의 뒷말이었다. 갈수록 거세어져 가기만 하던 풍파였기에 어느 세월에나 가라앉을는지 종잡지 못할 일이었다. 무슨 수가 없을 것인가. 정녕 아무 수도 없단 말인가. 그처럼 안타까운 일도 다시 없을 것 같았다.

그러나 결말은 뜻밖으로 일렀다. 너무도 간단한 맺음새였다. 솔이 엄마가 줄행랑을 놓음으로써 그렇듯 답답하던 난제가 하루아침에 마무리됐던 것이다. 오복여관에 있던 서울 사내가 없어진 것도 같은 날이었다. 솔이 엄마가 입은 옷 그대로 나갔듯, 그 사내도 서둘러 새벽에 나갔다는 것이다. 그러나 길래 알 수 없겠던 것——그것은 그녀가 솔이를 데리고 나간 점이었다.

젖먹이를 버릴 수 없는 한 가닥 모성애가 남아 있었던 것일까. 솔이를 업고 나가지만 않았더라도 일이 그토록 허망하게 뒤틀리지는 않았으

런마는.

너무도 애틋한 패가망신이었다. 남의 가문을 순식간에 파멸시킬 수 있었던 그 가증스러운 것──그것은 곧 여인의 마음이었다.

학로가 진현이네 외양간에서 쟁깃줄을 풀어다가 뒷산 오리나무숲 밤나무 가지에 목매달고 죽은 것은, 그녀가 없어지고 보름이나 되었을까 해서였다. 그야말로 유서 한 자 필요 없는 숙명적인 자결이었는지도 모를 일이었다.

윤 영감이 아주 떠나 버린 며느리를 찾아, 아니 잃어버린 손자 솔이를 찾아 쓸쓸히 천릿길에 오른 것은, 무서리 친 아침마다 마당가의 개오동이 소리내어 지며, 바지랑대 끝을 맴돌던 잠자리일수록 고춧물이 짙게 물들어 보이던 시월 스무날께였다.

서울 하늘이 정처라 했다. 비록 두 다리가 닳아져 앉아 죽을지언정, 찾아 헤매기를 어이 게을리하랴면서 떠나가던 것이다. 솔이를 못 찾으면 살아도 소용없는 목숨임을 거듭 다짐해 보이던 영감 내외는, 가서 춘하추동 주야불철로 샅샅이 뒤지고 훑겠다고 말했다.

노파는 입고 벗을 옷가지와 취사 도구를 꾸리었고, 영감은 소반 한 짐을 멜빵하여 짊어지고 앞장서서 떠났다. 그 소반들은 절반 이상이 학로가 만들었을 것이라고 했다. 월급에 부조금을 보태어 모개흥정했노라고 영감은 말했다. 서울에 가면 소반장수로 나서겠노라고 영감은 거듭 되풀이 말했는데, 그것은 결코 학로를 못 잊겠어서가 아니라는 말로 덧붙여서 설명했다. 호구지책을 겸해서, 가가호호 대문을 두들길 것이며, 주인 여자마다 직접 만나보되 그러기 위해서는, 그리고 주부들을 상대로 수소문이라도 해 보려면, 소반장수 이상 갈 것이 무엇이겠느냐고 되물으며 눈물짓던 것이다.

서울 와서 사는 지도 어언 열너덧 해.

그동안 집 앞에서나 거리에서 늙은 행상인을 보고도 그냥 지나친 적이 내게는 한 번도 없지 않았나 한다. 우연히 마주친 소반장수일 경우에는 더욱 유심히 살펴보곤 했다. 그런데 작년 그러께부터였나, 내가 사는 연희동에는 나도 모르게 소스라쳐 놀라며 밖을 내다보도록 해 주던 웬 늙은 소반장수가 지나다니기 시작했다. 그 목소리가 바로 윤 영감의 것인데다, 하고 다니는 주제꼴 또한 관촌부락을 떠나던 차림새와 그렇게 비스름할 수가 없었다. 소반 사라고 외치는 소리도 오래 사는 설움과 못 이룬 한이라도 맺힌 듯 청승맞기 그지없었다. 동네 어디쯤에서 오는 기척만 들려도 나로 하여금 내다보기를 서슴지 않게 하는 거였다. 벌써 몇 차례나 그랬는지, 이제는 이루 헤아려 볼 수도 없다.

　　엊그제도 한 차례 더듬고 갔으니 며칠 뒤에나 다시 들어 보게 되겠지만, 언제부터였을까, 그 늙은이 외치던 사설을 자신도 모르게 외어 보는 버릇이 내게 붙어 버린 것은.

　　소반 사려어 소반 사압, 행자목 소반들 사려어──.

　　외상반에 겸상반에 사인반에 두레반에, 교자상 행자목 소반들 사려어──.

윤흥길

아홉 켤레의 구두로 남은 사내

기억 속의 들꽃

지은이

1942~ 전북 정읍 출생. 1968년 《한국일보》 신춘문예에 단편 〈회색 면류관의 계절〉로 데뷔했다. 삶의 기반을 갖지 못하고 도시의 변두리에 밀려나 있는 소시민들의 삶을 특유의 입담으로 풀어내고 있다. 창작집으로 《황씨의 집》, 《아홉 켤레의 구두로 남은 사내》, 《무지개는 언제 뜨는가》 등이 있다. 1977년 한국문학 작가상, 1983년 한국창작문학상과 현대문학상 등을 수상했다.

아홉 켤레의 구두로 남은 사내

워낙 개시부터가 기대했던 바와는 달리 어긋져 나갔다. 많이 무리를
해서 성남에다 집채를 장만한 후 다소나마 그 무리를 봉창해 볼 작정으
로 셋방을 내놓기로 결정했을 때, 우리 내외는 세상에서 그 째고쌘 집
주인네 가운데서도 우리가 가장 질이 좋은 부류에 속할 것으로 자부하
는 한편, 우리 집에 세들게 되는 사람은 틀림없이 용꿈을 꾸었을 것으
로 단정해 버렸고, 이와 같은 이유로 문간방 사람들도 최소한 우리만큼
은 질이 좋기를 당연히 요구했던 것이다. 그런데 우리의 기대는 어쩐지
처음부터 자꾸만 빗나가는 느낌이었다. 특히 사복 차림으로 학교까지
찾아온 이 순경이, 주민등록부에 우리의 동거인으로 기재되어 있는 안
동 권씨에 관해 얘길 꺼냈을 때 느낀 배반감은 절정에 달했다.

"……조금도 부담감 같은 걸 가질 필요는 없습니다. 매일매일 무슨
　보고 형식을 취할 것을 의무적으로 요구하는 건 아니니까요. 약간 특
　별한 동태가 보일 때, 가령 멀리 여행을 떠나게 되었다든가, 좀 이상
　한 손님이 찾아왔다든가, 쌀이나 연탄이 떨어져서 굶는다든가, 갑자
　기 많은 돈이 생겨서……."

부담감이란 것에 대해 이 순경은 매우 그릇된 견해를 가지고 있음이
분명했다. 적어도 내가 알기로 그것은 갖고 싶다고 가져지고 갖기 싫다
고 안 가져지는 그런 임의의 선택물이 아니었다. 더구나 그것은 스스로

원해서 어떻게든 가져 보려고 안달할 정도의 그런 기호물은 절대 아니었다.

"나더러 이제부터 당신 밀대 노릇을 하라는 얘깁니까?"

"무슨 그런 거북한 말씀을!"

우리 학교 담당인 학사 출신의 이 순경은 한바탕 너털웃음을 한 다음 곧장 진지한 표정이 되었다. 그는 이렇게 말했다.

"오 선생님 앞에서 한 사람의 시민으로서의 의무를 강조할 생각은 없습니다. 다만 친절한 이웃이 돼 주십사고 부탁드리는 겁니다."

"권씨의 동태를 일일이 사직 당국에 고자질해야만 권씨의 친절한 이웃이 되는군요."

"그렇다마다요."

하고 말하면서 이 순경은 다시 너털웃음을 터뜨렸다.

"밀대니 고자질이니 하는 말은 우리 쑥 빼기로 합시다. 두고 보면 오 선생님도 알게 됩니다. 권씨에 관계되는 한 그런 말들이 얼마나 적절치 못한 표현인가를 말입니다. 오 선생님한테 권씨네가 지나치게 폐를 끼치는 건 아닙니까? 혹시 그 사람을 미워하는 건 아닙니까?"

"뭐 벌써부터 미워할 것까지야 있을까마는……."

"쌀이 떨어졌는지 연탄이 떨어졌는지도 살펴보고 말입니다, 힘 닿는 대로 그 사람을 도와주시기 바랍니다. 도무지 제가 표면에 나설 수가 없는 입장입니다. 물론 권씨를 고용하는 기업주 쪽 탓도 있죠. 사찰 대상자를 즐겨 고용하는 기업은 없을 테니까요. 허지만 그것보다는 권씨 자신이 더 큰 문젭니다. 자신이 법에 따라서 내사당하고 있다는 사실을 다른 누구보다도 유별나게 못 견디는 체질입니다. 내 전임 담당자 때는 여러 번 그런 일이 있었어요. 내사당하고 있다는 걸 일단 눈치만 채고 나면 직장도, 생활도, 심지어는 처자식까지도 다 포기해 버리는 성미죠. 숫제 드러누워서 며칠씩이나 굶고, 밥 대신 허구한 날 강술만 들이켠다거나 짐승처럼 난폭해져 가지고 발광 그 직전까지 갑니다. 그렇게 착하고 양순한 사람이 말입니다. 이제 제 말뜻을 이해하셨을 줄 믿습니다. 제 임무를 감쪽같이 수행할 수 있도록 저를 도와만 주신다면 오 선생님은 어김없는 친절한 이웃이 될 수 있습니다. 솔직히 말씀드려서 전 경찰관 입장을 떠나서 한 사람의 인간으로서 권씨를 사랑합니다. 가능하다면 그를 돕고 싶은 심정입니다. 아마 불원간에 오 선생님도 그렇게 되고 말 겁니다. 부디 친절한 이웃이 돼 주십사고 다시 한 번 간곡히 부탁드리는 바입니다."

내가 권씨를 사랑하게 되다니, 생각만 해도 끔찍한 일이었다. 차라리 듬뿍 사례금을 얹어서 다른 누구로 하여금 나 대신 그를 사랑하도록 만드는 편이 훨씬 나았다. 애당초 우리 내외가 방을 내놓기로 결심하게 된 동기는 인정보다는 현금이 그리워서였다

권씨네가 우리 집 문간방으로 이사오던 날은 그 풍경이 가관이다 못해 장관이었다. 마침 일요일이었다. 그래서 모처럼 게으른 아침을 먹는 중인데 댕동 소리가 났다. 아내가 나가서 대문을 열어 보더니 무척이나 놀라는 기척이 안방에까지 들렸다. 무슨 일인가 하고 나가 보고 나서 나는 아내의 호들갑을 이해했다. 나 역시 어지간히 놀랐던 것이다. 웬 아낙네 하나가 자기 몸무게만큼은 나갈 커다란 보퉁이를 머리에 인 채 땀을 뻘뻘 흘리면서 숨이 턱에 닿아 있었다. 그리고 대문에서 약간 떨어진 곳에 아홉 살쯤 먹어 보이는 계집애 하나가, 다시 그 계집애로부터 몇 걸음 떨어져 세 살 가량의 사내애의 모습이 얼핏 보였다. 일가의 가장은 가파른 언덕길 저 아래에다 보퉁이를 내려놓은 채 숨을 돌리면서 마악 담배를 꺼내 무는 참이었다. 나를 보더니 사내는 일껏 입에 물었던 담배를 도로 호주머니에 쑤셔 넣은 다음, 퍽이나 힘에 겨운 동작

으로 보퉁이를 들어 어깨에 메는 것이었다. 그런 다음 짐 무게에 압도되어 중심을 못 잡고 이리저리 휩쓸리면서 근근이 언덕빼기를 올라오고 있는 그 사내가 우리 집에 세들기로 된 권씨임에 틀림없다면, 그는 예정보다 나흘이나 앞당겨 사전에 주인인 우리의 양해도 구함이 없이 일방적이며 기습적으로 이사를 단행하는 셈이었다. 사내가 금방이라도 짐에 눌려 쓰러질 것만 같았으므로 나는 빼앗다시피 보퉁이를 받아들었다. 생각했던 것보다 짐은 아주 가벼웠다. 북더기만 요란했지 실은 느슨하게 묶어진 이불 보따리였다. 다소 겁을 먹은 눈으로 애들이 나를 깊숙이 올려다보고 있었다. 그애들은 배가 불룩한 비닐가방 따위를 양손에 나눠 든 채 무척 힘든 표정이면서도 잠자코 잘들 견디고 있었다. 아내는 아직도 놀라움이 가시지 않은 얼굴로 힘을 거들어 보퉁이를 받아내릴 생심도 못하면서 저울질하듯이 언제까지고 권씨 부인을 위아래로 찬찬히 훑어보고 있었다. 권씨는 키가 작았다. 보통키 정도밖에 안 되는 나지만 그래도 권씨에 비기면 거인이나 다름없었다. 슬리퍼를 걸치고 나온 내 발만을 유심히 들여다보면서 권씨는 침묵을 지켰기 때문에 내가 먼저 입을 열지 않으면 안 되었다.

"이삿짐은 차로 옵니까?"

"아닙니다."

그는 피로에 지친 눈을 들어, 자기 아내의 머리에서 시작하여 아이들 손을 거쳐 이제 방금 내가 대문간에 부려 놓은 보퉁이에 이르는 기다란 활을 그렸다.

"이게 전부 답니다."

멋쩍은 듯이 그는 어설프디어설프게 웃었다. 보자기 바깥으로 비죽비죽 내민 것으로 보아 권씨의 아내가 이고 온 짐은 취사 도구일 것이었다. 그게 농담이 아니고 진담이었다면 결국 쌀을 익히고 빨래하고 그리고 깔고 덮는 데 쓰는 몇 점 세간이 이삿짐의 전부인 셈이었다. 아무리 셋방으로 나도는 살림이라지만 그쯤되고 보면 해도 너무했다. 내가 어안이 벙벙해 있는 동안에 사내는 슬그머니 한쪽 발을 들더니 다른 쪽 다리 바짓자락에다 구두코를 쓰윽 문질렀다. 이어서 이번엔 발을 바꾸어 같은 동작을 반복했다. 먼지가 닦여 반짝반짝 광이 나는 구두를 내려다보면서 비로소 그는 자기 구두코만큼이나 해맑은 표정이 되었다. 아마 모르긴 몰라도 틀림없이 재고 정리 바겐세일 바람에 하나 주워 걸쳤을, 지그재그 무늬의, 때 이르고 유행 지난, 후줄근한 여름옷과는 영 안 어울리게 그의 구두는 제법 신품이었고 알맞게 길이 난 호사품이었다.

"아무래두 약속이 틀려요."

내외 둘만이 되었을 때 아내가 내 귀에 대고 속삭였다.

"먼젓번 살던 방을 오늘 꼭 비워야만 할 형편이었다잖아. 약속이 틀려도 별수 없지. 그리고 어차피 안 쓰는 방이니까 나흘쯤 앞당겨 들어왔대서 뭐……."

"그게 아녜요."

"걱정 마. 수일 내로 마저 다 챙기겠다고 약속했어. 자기네도 사람인데 설마 절반만 내고 입 싹 씻진 않을 테지."

"계약금 받을 때만 해도 그렇게 안 봤는데 사람들이 여간 뻔뻔하지 않아요. 이십만 원이면 시세보다 훨씬 싸게 내놓은 줄 자기네도 눈이 있고 귀가 있으니까 잘 알 거예요. 그런데 단돈 십만 원만 쥐고 한 마디 상의도 없이 불쑥 쳐들어오다니, 생각할수록 괘씸하다니까요. 그런 기본적인 약속마저 어기는 사람들이라면 이담엔 무슨 약속인들 못 어기겠어요. 당신이 그러라고 했으니까 나머지 전셋돈 받아내는 거 당신이 책임지세요."

"무슨 소리야? 기본적인 약속마저 안 지키는 그런 사람을 고른 건 바로 당신이잖아?”

“겉 다르고 속 다른 사람인 줄 누가 알았나요. 감쪽같이 속이려구 뎀비는 데야 도리 있어요? 인제 두구 보세요. 우릴 속인 게 한 가지 더 드러날 거예요.”

“건 또 무슨 뜻이지?”

“여자가 애를 가졌어요. 다 속여두 내 눈만은 못 속여요. 오륙 개월은 될 거예요. 어쩌면 육칠 개월인지두 몰라요. 접때까진 한복을 입어서 몰랐는데 오늘 보니 대뜸 알겠어요.”

“퍽도 일찍 알아차렸군.”

며느리 늙은 것이 시어미라던가, 아내는 어느 새 집주인 행세를 쫀쫀히 하려 들었다. 우리가 셋방에서 셋방으로 전전하며 다리 오그리고 지내던 시절을 아내가 벌써 잊었을 리 없다. 그러나 아내는 벌써 깡그리 잊어먹은 척 행동했다. 적어도 겉으로는 그랬다. 그리 오래지도 않은 과거를 얘기하면서 꿈만 같다는 말로 시간의 단위를 한없이 늘궈 잡는 버릇이 생겼으며, 말끝마다 “이게 어떻게 장만한 집인데…….” 하면서 혀를 차곤 했다.

하긴 그렇다. 도대체 이게 어떻게 장만한 집인가. 나보다는 아내 쪽에서 대답할 때의 자세가 훨씬 당당해질 법한 물음이었다.

시청 뒷산 은행주택으로 이사오기 전까지 우리는 단대리 시장 근처에서 살았다. 숨통을 죄듯이 다닥다닥 엉겨 붙은 20평 균일의 천변 부락이었다. 집주인은 자칭 한의사였다. 간판도 없이 영업 행위를 하는데, 드문드문 찾아오는 환자들의 외모로 봐서 피부병이 전문인 듯했고, 그 효험이 매우 의심스러운 자가 조제의 연고만 팔아 가지고는 생활이 어려울 성싶었다. 자칭 한의사 김씨의 낮시간은 거의 낮잠이 일과였다. 그리고 해가 설핏할 무렵부터 마시기 시작하는 술이 통금을 예사로 넘겨

늘 새벽녘까지 동네가 들썩이도록 주사를 떨게 만들었다.

우리가 이사를 들던 날도 김씨는 나우 취해 있었다. 그는 녹슨 기계처럼 톱니바퀴가 잘 물리지 않는 소리로 초면의 나에게 수인사를 청한 다음, 곧장 내 겨드랑이를 끼더니 자기네 안방 아랫목까지 납치하다시피 나를 질질 끌고 갔다. 그는 내 아내가 문간방에서 듣기엔, 거의 협박조의 말투로 밤이 이슥할 때까지 자기가 현재 살고 있는 그 집을 불과 한 주일 동안에 지은 걸 자랑했으며, 역시 내 아내가 마당가 펌프 우물 곁을 애가 타서 서성거리며 듣기엔, 신음 혹은 비명을 지르다시피 "핵교 선상님 내외분을 문깐빵에다 뫼셔서 즈이는 인자 아모 근심 걱정 없쇠다."라고 반가워했다. 마지막으로 그는 "집안에 혹 옴이나 뾰루치나 등창, 아구창, 연구창 같은 걸루다 고생허시는 분 기시면 모다 저한테 맡겨 주십시오." 하는 말과 함께 나를 불안에 떠는 내 아내 곁으로 돌려보내 주는 것이었다.

이렇게 해서 집주인 김씨와의 첫 대면은 무사히 지났다. 그러나 우리가 대지 20평, 건평 15평 시멘트 블록 와가의, 김씨 혼잣힘으로 꼬박 일주일 걸려 거짓말처럼 완공했다는 그 날림 중의 날림집에 보증금 3만 원, 월세 3천 원으로 문간방 하나를 세듦으로써 어째서 김씨의 근심 걱정이 없어지는 건지는 여전히 의문이었다. 그 말뜻을 제대로 이해하기엔 다소 시일이 걸렸다.

당장 그 이튿날부터 김씨는 자기네 문간방에 세든 사람이 다른 누구도 아닌 바로 선생 내외(그렇다, 선생 내외였다)라는 사실을 일삼아 동네방네 외고 다녔다. 성남시 전체를 통틀어 불과 얼마 안 되는 선생에 비해 집들은 부지기수인데, 바로 그 선생 중의 하나가 자기 집에 사글세를 들었다는 것이었다. 그리고 그는 매월 봉급날 저녁만 되면 우리가 당연히 지불해야 할 제반 사용료 외에, 금방 앉았다 일어나면서 갚는다는 조건으로 소홀찮은 돈을 꾸어가곤 했다. 봉급날뿐만이 아니라 길거리에서건 집 안에서건 얼굴을 마주치기만 하면 번번이 손을 내밀어 여러 푼돈을 강탈하다시피 알겨 갔다. 누구보다 못할 노릇이기는 아내 쪽이었다. 김씨가 나한테서 돈을 꾼 다음이면 꼭 그의 부인이 방을 건너와서 한나절씩이나 징징 울다 간다는 것이었다. 제 여편네 속곳마저 술로 바꾸어 마실 인간이라면서, 무슨 수로 받아내려고 그렇게 덥석덥석 꾸어 준다냐고 원망이라는 것이었다.

처음엔 제법 들척지근하게 받아들이던 '선생 부인'에 아내는 쉬이 넌덜머리를 내기 시작했다. 단순히 선생 부인이라는 그 이유만으로 이웃 아낙네와 조무래기들이 아내를 잠시도 마음 편히 거처하도록 내버려 두지 않았다. 단대리 시장 근처 20평 부락에서 우리는 완연한 별종의 인간으로 취급당했다. 김씨가 열심히 나발 불어 준 덕분이었다. 선생네가 먹는 저녁 밥상 위에 무슨 반찬이 오르나를 확인하려고 아낙네들은 우리 부엌문 앞을 떠날 생각을 안했고, 선생 마누라가 얼굴에 뭣뭣을 찍어 바르는지 구경하려고 별로 어려워하는 기색도 없이 불시에 방 안을 기웃거렸다. 그리고 선생 아들은 주로 무엇을 간식으로 먹나 보려고 때꼽재기 아이들이 눈을 화등잔만하게 해 가지고는 문간방 안팎을 연락부절로 오락가락했다. 심지어는 빨래만 해도 그랬다. 펌프 우물에서 아내가 옷가지를 내다 빨고 있을라치면, 동네 아낙들이 떼로 모여들어 합성세제를 물에 풀었을 때 거품이 이는 그 초보적이고도 너무 당연한 화학작용을 무슨 요술이나 되는 듯이 신기한 눈으로 지켜보았다.

"아무래도 여길 떠야 할까봐요."

보충 수업까지 마치고 좀 늦게 퇴근한 나에게 어느 날 아내가 심각한 표정을 했다.

"왜 또 무슨 일이 있었어?"

"무슨 일이 있는 건 아니지만 어쩐지 이 바닥 사람들이 무서워요. 꼭 무슨 일을 저지를 것만 같은 눈빛들예요."

"고물장수 여편네 얘긴가?"

"그래요. 오늘두 시장까지 뒤를 밟아왔어요."

아내한테 가장 두려운 상대는 골목길 맞은편 천막 반 흙벽 돌반의 오두막에 사는 고물장수 마누라였다. 골목이 시끄러워서 슬그머니 들창을 열고 내다보면 틀림없이 그 여자가 누군가를 상대로 대판 싸움을 벌이고 있었다. 대개는 동네 사람들하고서였고 더러는 자기 남편이거나 아니면 여섯 살배기 자기 아들과였다. 상대가 자기 식구건 동네 사람이건 어느 경우를 막론하고 여자의 입에서는 개와 도야지가 끊을 새 없었으며, 이빨과 손톱을 동시에 사용하면서 웬만한 작두 푼수는 되는 어마어마한 고물장수 가위로 인체의 어느 특정 부위를 싹둑 잘라 버리겠다고 말끝마다 씹어뱉곤 했다.

고물장수 마누라가 내 가족에게 직접적인 위해를 가한 적은 아직 한 번도 없었다. 다만 궁둥이 근처에 대롱대롱 매달리게 딸애를 들쳐 업고 나와서는 일정한 거리를 두고 내 가족을 잠자코 뚫어지게 쏘아볼 뿐이었다. 그러나 아내의 기를 팍 죽이기엔 그런 정도만으로도 충분했다.

어느 일요일 오후에 찬거리를 사겠다고 시장바구니를 들고 나갔던 아내가 예상보다 너무 빨리 돌아왔다. 아내는 고무신 한 짝을 대문간에, 그리고 나머지 한 짝은 펌프 옆에 아무렇게나 벗어 팽개치면서 헐레벌떡 뛰어 들어오더니만 멀쩡한 대낮인데 방문을 꼭꼭 걸어닫는 법석을 떨었다. 바구니가 비어 있었다. 아내는 하얗게 질린 얼굴에 가슴마저 할딱거리고 있었다.

"고물장수 여편네가 막 따라왔어요."

훅훅 단내가 치미는 입김을 아내가 내 귓전에 쏟았다.

"그래서?"

하도 어이가 없어 나는 웃을 수밖에 없었다.

"기분 나쁘게 빈정대지 말아요! 시장까지, 시장에서 집에까지 쫓아다녔다니깐요. 푸줏간에 들러서 돼지고길 살까 쇠고길 살까 생각하는 참인데 왠지 모르게 뒤쪽이 이상해서 얼핏 돌아다봤더니, 아 글쎄, 저만치에 여편네가 서 있질 않겠어요. 앨 둘러업구 그 우묵한 눈으로 뚫어지게 쏴보는 거예요. 내가 집을 나설 때 분명히 골목 안쪽에 있었는데 어느 새 예꺼정 뒤밟아 왔나 싶어서 갑자기 섬뜩한 생각이 들더군요."

"당신 시장바구니 보고 생각난 김에 그 여자도 돼지고긴지 쇠고긴지 사고 싶었던 게지. 고물장수라고 반드시 팔다 남은 강냉이 튀밥이나 별식으로 먹으란 법은 없을 테니까."

"그게 아니래두요! 어찌나 가슴이 발랑거리던지 집어삼킬 것같이 노려보는 그 시선 앞에선 차마 고길 살 수가 없었어요. 그래 푸줏간을 그냥 나오고 말았죠. 생선전으로 들어서려니까 여편네가 또 소리없이 뒤를 밟잖아요. 무서워서 아무것도 살 수가 없었어요. 곧장 집으로 종종걸음을 쳤지요. 이만하면 이젠 안 따라오겠지 하고 뒤를 돌아보니까 꼭 고만한 간격을 유지하면서 계속 따라붙어요. 그래서 마구 뛰었어요. 뛸 수밖에요. 뛰면서 뒤돌아봤더니 여편네두 같이 뛰어요. 애를 업었는데두 나보담 뜀질을 잘하는 것 같애요. 애가 놀래 가지고 울어 보채는데두 대문 앞꺼정 이를 악물구 뒤쫓아왔어요."

나는 살그머니 일어나 들창을 연 다음 고개를 빼고 대문이 있는 골목 쪽을 살펴보았다. 고물장수 마누라가 딸애를 궁둥이에 매단 채로 골목길 한복판에 버티고 서 있었다. 나하고 시선이 딱 마주쳤다. 여자는 내 눈을 피하지 않았다. 오히려 한 외간 남자의 시선을 처억하니 받아넘기면서 아무 때라도 이쪽에서 물러설 때까지는 눈싸움을 계속할 작정임이 분명했다. 나는 엉겁결에 내밀었던 고개를 잽싸게 수습한 다음 들창을 닫아 버렸다.

"도대체 이유가 뭐죠? 무슨 생각으로 그럴까요?"

아내가 나한테 따지는 기세로 물었다.

"아마 당신하고 친해지고 싶은 거겠지"

나는 이렇게 대꾸했다.

"모르긴 몰라도 선생 부인하고 친하게 지내고 싶어서 그럴 거야."

두 번째 때도 나는 이렇게 얘기할 수밖에 없었다.

"선생 마누라, 선생 부인, 선생 사모님…… 인젠 말만 들어두 신물이 나요. 어쩌다 내 꼴이 선생 부인이 되었는지! 오나가나 원!"

넨장맞을, 이건 뭐 얼어 죽고 데어 죽는 꼬락서니였다. 고향을 벗어나 타관살이를 하면서 한때 좀 잠잠해지는가 싶던 아내의 고질병이 어느새 또 도지려 하고 있었다. 그것은 또한 나 자신의 고질병이기도 했다. 아내가 선생한테 시집온 팔자를 그리 자랑스럽게 여기지 않는 이유는 전적으로 여학교 시절의 에델바이스 클럽 회원들 거개가 선생보다는 훨씬 수입이 좋은 직업의 남자와 결혼한 데 있었다. 아내는 학교 때 성적이나 얼굴이 자기보다 훨씬 처지던 계집애들이 서로 음모라도 꾸민 것처럼 집안 좋고 학벌 좋고 직장 좋은, 이를테면 삼박자가 척척 맞는 배필로만 달칵달칵 물어 가는 그 점을 아무래도 이해할 수 없었고, 이해할 수 없기 때문에 용서할 수도 없었고, 박봉에서 오는 생활의 불편이나 어려움보다는 영원토록 변치 말자면서 지금도 일 년에 두 차례씩 만나는 에델바이스들의 동정 섞인 우정 때문에 정기적으로 자존심을 상하곤 했다.

나 역시 그랬다. 젊은 나이에 이미 출세했거나 적어도 머잖은 장래에 출세할 조짐이 농후하거나 아니면 치부를 한 동창들을 접할 적마다 속이 뒤숭숭해서 견딜 수가 없었다. 기껏해야 교육위원회 장학사나 교감·교장인데, 그걸 바라고 삼사십 년씩 근속하기엔 너무 억울하다는 느낌을 어쩔 수가 없었다. 적어도 내게는 여러 모로 미루어 많이 불공평한 세상에서 어쩌다 잘못 얻어걸려 하는 직업이 바로 선생이었다.

그런데 그 선생을 대단하게 알고 별종으로 취급하는 사람들이 다른 한편에는 또 있는 것이다. 동그라미를 그릴 생각이었는데 네모가 되었대서 세모가 되지 않은 것만을 다행으로 여길 수는 없다. 나를 대단한 인물로 보아 주는 단대리 사람들 앞에서 나는 한 번도 큰기침을 한 적이 없음은 물론 그들을 쓰다듬어 주고 싶지도 않았다.

이 순경한테서 들은 안동 권씨의 과거에 관해서 나는 아내에게 아무런 귀띔도 해 주지 않았다. 은경이와 영기 사이가 여섯 살이나 터울이 지기까지 그 아비 되는 권기용 씨가 어디서 뭘 했는지 나는 얘기하지 않았다. 권씨가 싫고 좋은 걸 떠나 앞으로도 나는 계속 비밀을 지킬 작정이었다. 그렇잖아도 벌써 아내의 눈 밖에 난 사람들인데, 만약 권씨가 전과자란 걸 알게 된다면 아내는 필경 까무러치고 말 것이었다. 더구나 다른 것도 아니고 사회의 안녕과 질서를 파괴했다는 죄로 여러 해를 복역하고 나와서는 시방도 경찰의 감시를 받고 있는 위험 인물임을 알아차리게 된다면 단 하루도 한지붕 밑에서 살지 않으려 할 것이었다.

아내 말마따나 권씨네가 시초부터 어기고 들어온 약속 외에 전세 입주자로서 상식적으로 지켜야 할 제반 의무를 번번이 이행하지 않는 건 사실이었다. 하지만 그런 따위 자지레한 이유들로 당장 권씨네를 쫓아낼 수는 없는 노릇이었다. 그들이 결정적인 실수를 범할 때까지 당분간은 더 두고 보는 수밖에.

그리 오래지도 않아 아내의 짐작은 사실로 드러나기 시작했다. 마침

내 아내는 권씨 부인으로부터 임신 6개월째라는 자백을 받기에 이르렀다. 아내한테는 어느덧 장독대 밑 광 속에 쌓인 연탄 수를 아침저녁으로 점검해야만 직성이 풀리는 버릇이 생겼다. 그리고 무엇보다도 아이들 문제가 항상 말썽이었다. 애들은 왜 제 부모의 입장 같은 건 조금도 생각해 주지 않는 것일까. 우리 집 동준이녀석만 해도 그랬다. 우리가 셋방으로 돌 적엔 녀석이 늘 주인집 아이를 때려 나나 아내가 행세를 못하도록 만들곤 했다. 그랬는데 지금은 녀석이 권씨의 오뉘로부터 늘 손찌검을 당함으로써 우리를 속상하게 만들고 또 권씨 내외를 난처한 입장에 빠뜨리는 것이었다.

동준이가 마당에서 커다란 풍선을 가지고 뛰어놀고 있었다. 같이 놀고 싶어서 권씨네 애들이 치근치근 따리를 붙이는 기색이었다. 아무리 따리를 붙여 봐도 반응이 없으니까 애들은 동준이를 한 대 쥐어박았는지 할퀴었는지 해서 울리고는 문간방에 들어가더니 제 어미를 조르는 눈치였다. 이 때부터 아내는 벌써 속이 뒤집혀 있었다. 잠시 후에 동준이가 헐레벌떡 뛰어 들어와서는 떼를 쓰기 시작했다. 들이당장 막무가내로 영기네 것하고 똑같은 풍선만 사내라는 것이었다. 녀석은 기어코 제 어미의 손을 이끌고 마당으로 나갔다. 밖에 나갔던 아내가 얼굴이 벌개져 가지고 들어오더니만 이번엔 내 손을 답삭 움켜쥐고는 마당으로 끌고 나갔다. 나는 보았다. 권씨네 애들이 손에손에 여러 개의 풍선을 나눠 들고 마냥 희희낙락해 있었다. 셋방살이 아이들이 즐거워하는 걸 탓하고 싶지는 않았다. 다만 문제는 바로 그 풍선의 정체였다. 커다란 오이처럼 생긴 해괴한 모양의 풍선들이었다. 무엇이 재료로 쓰여졌는지 나는 한눈에 알아볼 수 있었다. 그것은 의심의 여지 없는 콘돔이었다. 아내는 말할 수 없이 분개했다. 아이의 가정교육을 위해서 도저히 묵과할 수 없는 중대사라는 것이었다. 일요일이긴 하지만 다행히도 권씨가 출근해서 집에 없는 줄 알기 때문에 나는 안심하고 애들 가정교육 문제를 아내에게 일임해 버렸다. 벼르고 별러 온 끝이라서 아내는 당장에 권씨 부인에게 달려가 이성을 가진 어른으로서의 품위를 지켜줄 것을 강경히 요구했다.

참담한 고생 끝에 성남에서는 기중 고급 주택가로 알려진 시청 뒷산 은행주택을 산 다음 자그마치 100평 대지 위에 세운 슬라브집의 안주인으로서 아내가 전세 입주자에게 내세운 조건은 사실 그리 까다로운 게 아니었다. 첫째, 자녀가 둘 이하라야 한다. 둘째, 집 안에서는 언제나 정숙을 유지해야 한다. 이상 두 가지 조건만 지켜 준다면 여타의 일, 예컨대 전열기의 사용이나 담요의 물빨래 같은 것에 야박하게 굴지 않을 것이며 오물 수거료나 야경비 따위 제반 공과금 지불에 억울하지 않게끔 선처할 생각이었다. 자녀가 반드시 둘을 넘어서는 안 될 이유는 무엇인가. 아내가 복덕방 영감을 앞세우고 셋방을 구하러 다니면서 귀에 못이 박이도록 들어온 소리였고, 때문에 그 소리가 가슴에 사무쳐서 아내는 변변한 집주인이라면 당연히 그런 조건은 내세우는 것이려니 믿고 있었다. 집 안에선 왜 정숙을 유지해야만 하는가. 그것은 돈을 못 버는 이유가 순전히 공부에 있고 공부는 평생을 계속해야만 하는 것으로 폼을 잡아 온 자칭 선비 남편을 의식한 조처였다. 아내는 꿈에 그리던 내 집을 장만했는데도 여전히 남의 식구를 둘 수밖에 없는 현실을 슬퍼했다. 하지만 그것은 남의 식구를 둠으로써 주인의 권리를 행사할 수 있는 기쁨을 다분히 염두에 둔 그런 슬픔임이 분명했다. 그리고 더욱 분명한 것은 20평 부락에 사는 사람과 100평 부락에 사는 사람과의 차이였다. 그것은 바로 20평 마음과 100평 마음의 격차였던 것이다. 시청 뒤로 이사한 그 이후부터 아내에겐 누구하고 현주소에 관한 얘길 나누는 기회마다 언필칭 우리가 은행주택에 살고 있음을 힘주어 말하는 버릇이 생겼다.

이른 아침이었다. 문간방 툇마루에 앉아서 권씨가 구두를 닦고 있었다. 누구나 그렇듯이 그가 솔로 먼지나 터는 정도의 일을 하고 있었다면 나는 그냥 지나쳤을지도 모른다. 바탕과 빛깔이 다르고 디자인이 다른 갖가지 구두를 대여섯 켤레나 툇마루에 늘어놓은 채 그는 털고 바르고 닦는 데 여념이 없었다.

"그거 팔 겁니까?"

아침 인사 겸 농담삼아 나는 그에게 말을 걸었다.

"팔 거냐구요?"

갑자기 일손을 멈추더니 그는 내 발을 내려다보았다. 아니, 내가 신고 있는 구두를 유심히 쏘아보는 것이었다. 이윽고 내 바짓가랑이와 저고리 앞섶을 타고 꼬물꼬물 기어 올라오는 그의 시선이 마침내 내 시선과 맞부딪치면서 차갑게 빛났다. 그는 얼굴이 시뻘겋게 달아오르는가 싶더니 어느 새 입가에 냉소를 머금고 있었다.

"어떻게 보고 하시는 말씀인지는 모르지만……."

"제가 이거 실례했나 봅니다. 달리 무슨 뜻이 있어서가 아니고…… 다만 구두가 하두 여러 켤레라서…… 전 그저 많다는 의미루다……."

입을 꾹 다물고는 권씨가 더 이상 나를 상대하지 않으려는 의사를 분명히 했으므로 내겐 아무 할 말이 없어져 버렸다. 그는 손질을 마친 구두를 자기 오른편에 얌전히 모시고는 왼편에서 다른 구두를 집어 무릎새에 끼더니만 헌 칫솔로 마치 양치질하듯 신중하게 고무창과 가죽 틈에 묻은 흙고물을 제거하기 시작함으로써 내게서 사과할 기회를 아주 앗아가 버렸다. 나는 주번 교사를 맡아 다른 날보다 일찍 출근하려던 것도 까맣게 잊은 채로 권씨 앞에서 오래 뭉그적거렸다. 그러나 권씨를 향한 그 찜찜한 마음 덕분에 비로소 권씨를 자세히 관찰할 기회를 얻었다. 여러 날 함께 살면서도 피차 밖으로 나돌며 빡빡하게 지내다 보니 이사오던 그 날 이후로 변변히 대면조차 할 기회가 없었던 것이다.

보아하니 권씨의 구두닦기 실력은 보통에서 훨씬 벗어나 있었다. 사용하는 도구들도 전문직업인 못잖이 구색을 맞춰 일습을 갖추고 있었다. 그리고 무릎 위엔 앞치마 대용으로 헌 내의를 펼쳐 단벌 외출복의 오손에 대비하고 있었다. 흙과 먼지를 죄 털어낸 다음 그는 손가락에 감긴 헝겊에 약을 묻혀 퉤퉤 침을 뱉어 가며 칠했다. 비잉 둘러 가며 구두 전체에 약을 한 벌 올리고 나서 가볍게 솔질을 가하여 웬만큼 윤이 나자, 이번엔 우단 조각으로 싹싹 문질러 결정적으로 광을 내었다. 내 보기엔 그런 정도만으로도 훌륭한 것 같은데, 권씨는 거기에 만족하지 않고 계속해서 같은 동작을 반복했다. 그만한 일에도 무척 힘이 드는지 권씨는 땀을 흘렸다. 숨을 헉헉거렸다. 침을 퉤퉤 뱉었다. 실상 그것은 침이 아니었다. 구두를 구두 아닌 무엇으로, 구두 이상의 다른 어떤 것으로, 다시 말해서 인간이 발에다 꿰차는 물건이 아니라, 얼굴 같은 데를 장식하는 것으로 바꿔놓으려는 엉뚱한 의지의 소산이면서 동시에 신들린 마음에서 솟는 끈끈한 분비물이었다. 권씨의 손이 방추처럼 기민하게 좌우로 쉴새없이 움직이고 있었다. 마침내 도금을 올린 금속제인 양 구두가 번쩍번쩍 빛이 나게 되자 권씨의 시선이 내 발을 거쳐 얼굴로 올라왔다. 그는 활짝 웃고 있었다. 그의 눈이 자기 구두코만큼이나 요란하게 빛을 뿜었다. 사실 그의 이목구비 가운데 가장 높이 사줄 만한 데가 바로 그 눈이었다. 그는 조로한 편이었다. 피부는 거칠고 수염은 듬성듬성하고 주름이 많았다. 이마가 나오고 광대뼈가 솟은 편이며 짙은 눈썹에 유난히 미간이 좁은데다가, 기형적으로 덜렁한 코가 신통찮은 권투 선수의 그것처럼 중동이 휘었고, 입은 내가 근무하는 학교의 '썰면' 선생과 맞먹을 만했다.(입술이 하 두툼해 썰면 한 접시는 되겠대서 학생들이 붙인 별명이었다.) 오직 눈 하나로 그는 구제받고 있었다. 보기 좋게 큰 눈이 사악하다거나 난폭한 구석은 전혀 찾아볼 수 없게 맑고 섬세했다.

이 순경이 또 찾아왔다. 지나는 길에 잠깐 들렀다지만 반드시 그런 것 같지만도 않은 것이, 대뜸 책망 비슷한 투로 나왔다.

"그러면 못써요, 못써."

"뭐 보고드릴 게 있어야 전화라도 걸든지 하죠."

"보고가 아니고 협조겠죠. 그건 그렇고, 협조할 만한 게 없었다구요?"

"전혀!"

"이거 보세요, 오 선생. 권씨가 닷새 전에 직장을 그만뒀는데두요?"

"직장을 그만두다니, 그럼 또 실직했다는 얘깁니까?"

"출판살 때려치웠어요. 전번하곤 사정이 좀 달라요. 책을 만드는 데 저자들 요구대로 고분고분 따르는 게 아니라 틀린 걸 지적하고 저잘 자꾸만 가르치려 드니깐 사장이 불러다가 만좌중에 주의를 주었대요. 네가 저자냐고, 네가 뭔데 감히 고명하신 저자님 앞에서 대거리질이냐고 말이죠. 그랬더니 그 담날부터 출근을 않더라나요."

"오늘 아침만 해도 정상적으로 출근하는 것 같았는데…… 어제도 그랬고……"

"그러니까 주의 깊게 잘 좀 살펴봐 달라는 거 아닙니까."

"이 순경이 그렇게 앉아서 구만린데 내가 구태여 협조할 필요가 있을까요?"

그러자 학사 출신 이 순경이 빙긋 웃었다.

"권씨가 드디어 실직했다는 그 점이 중요합니다. 이제부터 슬슬 오 선생이 맡아야 할 역할이 무엇인지 분명해질 성부릅니다. 권씨가 다시

다른 직장을 붙잡을 때까진 저나 오 선생이나 맘을 놔선 안 됩니다."

내가 꼭 권씨를 감시하고 보호해야 할 이유가 없음을 주장하기에 나는 벌써 지쳐 있었다. 죄가 있다면 셋방을 잘못 내준 죄밖에 없는 줄 누구보다도 이 순경이 잘 알고 있기 때문이었다. 이런저런 이야기 끝에 화제가 다시 권씨에 미쳤다.

"사건 당시 권씨는 주모자급이었습니까?"

"제가 경찰관이 되기 전 일이니까 자세한 건 몰라요. 하지만 권씨가 주모자라기보다 주동자였던 것만은 분명합니다. 거의 완벽할 만큼 증거를 남겼으니까요. 경찰 백차를 뒤엎고 불을 지르고 투석을 하고 시내버스를 탈취해 가지고 시가를 질주하는 사람들 사진 속에서 권씨는 항상 선두를 서고 있었습니다."

"도무지 믿을 수가 없군요. 이불 보따리 하나 제대로 못 메는 사람이 그런 엄청난 일에 선봉을 서다니!"

"하지만 일단 실직만 했다 하면 굶기를 밥 먹듯 한다는 사실만은 믿어도 좋습니다."

"굶지 않을 능력이 있으면서도 굶는 사람은 아마 굶어도 배고프지 않을 겁니다."

"오 선생님, 너무 그렇게 뻣뻣한 척 마십쇼. 접때두 내 얘기했잖아요, 틀림없이 오 선생도 권씰 사랑하게 될 거라구요."

누가 누구를 사랑한다는 일이 얼마나 어렵고 피곤한 것인가를 전혀 모르는 사람처럼 이 순경은 자신만만하게 웃으면서 갔다. 사랑 중에서도 특히 근린애를 주머니 속에 든 동전이라도 꺼내듯이 그렇게 손쉬운 것인 줄 아는 모양이었다. 나 역시 한동안은 혼자 있을 때 공중으로부터 울리는 무거운 음성을 들은 적이 있었다. 네 이웃을 사랑하라, 단대리 사람을 사랑하라, 20평 부락 주민을 사랑하라……

내가 단대리를 떠나기로 결심한 것은 그 사건이 있은 직후였다. 맞다. 그것은 분명히 내게 있어서 하나의 충격적인 사건이었다.

퇴근해서 집으로 돌아가는 길이었다. 집 근처에 이르러 나는 한 떼의 아이들이 천변에서 놀고 있는 걸 보았다. 왁자하게 떠드는 조무래기들 틈에 동준이 녀석도 끼여 있었다. 녀석이 어느 새 저렇게 커서 이웃에 친구까지 사귀었나 싶어 나는 먼발치에서 대견스럽게 지켜보았다. 내 아이만 유난히 얼굴이 희었다. 다른 애들이 지나치게 까만 탓인지도 모른다. 특히 그 중에서도 고물장수 아들은 방금 굴뚝 속에서 기어나온 꼴이었다. 동준이가 고물장수의 아들에게 뭐라고 소리쳤다. 그러자 깜장이 그 아이가 땅바닥에 양팔을 짚고 개구리처럼 폴짝폴짝 뛰기 시작했다. 동준이가 그애 앞에다 뭘 던졌다. 그러고 보니 동준이 녀석은 쿠킨지 뭔지 하는 과자 상자를 가슴에 끌어안고 있었다. 고물장수 아들이 땅에 떨어진 과자를 입으로 물어 올리더니 흙도 안 털고는 그대로 아삭아삭 씹어먹었다. 먹는 일이 끝나자 고물장수 아들은 하얗게 이빨을 드러내며 웃고는 다시 스타팅 블록에 들어선 것 같은 자세를 취했다. 동준이가 뭐라고 또 소리쳤다. 깜장이가 이번엔 한쪽 팔로 땅을 짚고 그 팔과 가슴 사이로 다른 팔을 넣어 꺾어올려서 코를 틀어쥔 다음 열나게 뺑뺑이를 돌기 시작했다. 그애는 대여섯 바퀴도 못 돌아 픽 고꾸라졌다. 일어나서 다시 돌다가는 또 고꾸라졌다. 몇 차례고 반복해서 기어코 지시받은 횟수를 다 채우는 모양이었다. 몇 바퀴나 돌았는지 아이는 다 돌고 나서도 어지러워서 바로 서지를 못했다. 동준이가 과자에다 침을 퉤 뱉어서 땅바닥에 던졌다. 동준이는 삥잉 둘러서서 구경하는 다른 애들한테도 똑같은 방식으로 놀이에 가담할 것을 종용하는 눈치였으나 갈수록 가혹해지는 녀석의 요구 조건에 기가 질려 엄두를 못 내고 군침만 삼키는 듯했다. 동준이가 과자를 쥔 오른팔을 높이 올려 개울 쪽을 겨

냥하고 힘껏 팔매질을 했다. 그러자 조금의 주저도 없이 고물장수 아들이 석축을 타고 제방 아래로 뽀르르 달려 내려갔다. 나는 그 개울에 관해서 일찍부터 잘 알고 있었다. 그것은 공장에서 흘러나오는 폐수와 집집마다 버리는 오물을 한데 모아 탄천으로 실어 나르는 거대한 하수도였다.

내가 뒷전에 서서 구경하기 전에는 그와 같은 놀이가 얼마나 길었는지 모른다. 그러나 내가 목격한 것은 그것이 전부였다. 나는 동준이 녀석으로부터 과자 상자를 빼앗아 개울 속에 집어 던졌다. 그리고는 녀석의 따귀를 마구 갈겼다. 마음 같아서는 고물장수 아들을 흠씬 두들겨 주고 싶었는데 손이 자꾸만 내 자식놈 쪽으로 빗나갔다. 동준이 녀석을 한참 때리다가 퍼뜩 생각이 미쳐 뒤를 돌아다보니 고물장수 아들은 칙칙한 개울물을 따라 천방지축 과자 상자를 쫓아가는 중이었다.

무슨 수를 써서든 이놈의 단대리를 빠져나가자고 아내에게 소리치던 그날 밤엔 영 잠이 오질 않았다. 줄담배질로 밤늦도록 이리 뒤척 저리 뒤척 하면서 내가 생각한 것은 찰스 램과 찰스 디킨즈였다. 나하고는 전혀 인연이 안 닿는 땅에서 동떨어진 시대를 살았던 두 사람이 갈마들이로 나를 깨어 있도록 강제하는 것이었다.

똑같은 이름을 가진 점말고도 그들 두 사람은 공통점이 많은 것으로 알려져 있다. 우선 불우한 유년 시절을 보낸 점이 그렇고, 문학 작품을 통해서 빈민가의 사람들에 대한 동정과 연민을 쏟은 점이 그런 모양이었다. 하지만 그들의 성이 각각이듯이 작품을 떠난 실생활에서의 그들은 성격이 판판이었다 한다. 램이 정신분열증으로 자기 친모를 살해한 누이를 돌보면서 평생을 독신으로 지내는 동안 글과 인간이 일치된 삶을 산 반면에, 어린 나이에 구두약 공장에서 노동하면서 독학으로 성장한 디킨즈는 훗날 문명을 떨치고 유족한 생활을 하게 되자 동전을 구걸

하는 빈민가의 어린이들을 지팡이로 쫓아 버리곤 했다는 것이다. 램이 옳다면 디킨즈가 그른 것이고, 디킨즈가 옳다면 램이 그르게 된다. 가급적이면 나는 램의 편에 서고 싶었다. 그러나 디킨즈의 궁둥이를 걷어찰 만큼 나는 떳떳한 기분일 수가 없었다.

나도 그랬다. 내 친구들도 그랬다. 부자는 경멸해도 괜찮은 것이지만 빈자는 절대로 미워해서는 안 되는 대상이었다. 당연히 그래야만 옳은 것으로 알았다. 저 친구는 휴머니스트라고 남들이 나를 불러 주는 건 결코 우정에 금이 가는 대접이 아니었다. 우리는 우리 정부가 베푸는 제반 시혜가 사회의 밑바닥에까지 고루 미치지 못함을 안타까워했다. 우리는 거리에서, 다방에서 또는 신문지상에서 이미 갈 데까지 다 가버린 막다른 인생을 만날 적마다 수단 방법을 안 가리고 긁어모으느라고 지금쯤 빨갛게 돈독이 올라 있을 재벌들의 눈을 후벼 파는 말들로써 저들의 딱한 사정을 상쇄해 버리려 했다. 저들의 어려움을 마음으로 외면하지 않는 그것이 바로 배운 우리들의 의무이자 과제였다.

그러나 그것은 어디까지나 이론에 불과한 것이었다. 자기 자신을 상대로 사기를 치고 있는 것임을 나는 솔직히 자백하지 않을 수 없다. 우리의 분노란 대개 신문이나 방송에서 발단된 것이며 다방이나 술집 탁자 위에서 들먹이다 끝내는 정도였다. 나도 그랬다. 내 친구들도 그랬다. 껌팔이 아이들을 물리치는 한 방법으로 주머니 속에 비상용 껌 한두 개를 휴대하고 다니기도 하고, 학생복 차림으로 볼펜이나 신문을 파는 아이들을 한목에 싸잡아 가짜 고학생이라고 간단히 단정해 버리기도 했다. 우리는 소주를 마시면서 양주를 마실 날을 꿈꾸고, 수십 통의 껌값을 팁으로 던지기도 하고, 버스를 타면서 택시 합승을, 합승을 하면서는 자가용을 굴릴 날을 기약했다. 램의 가슴을 배반하는 디킨즈의 머리는 매우 완강한 것이었다. 우리의 눈과 귀와, 우리의 입과 손발 사이에 가로놓인 엄청난 괴리는 우리로서는 사실 어쩔 수 없는 것이어서, 도리어 나는 그 날 밤새껏 램의 궁둥이를 걷어차면서 잠을 온전히 설치고 말았다.

이 순경이 재차 다녀간 날 밤에 우리 집 문간방에서는 이상하게도 세 살짜리 아이의 칭얼거림이 그치지 않았다. 전에는 없던 일로 영기가 자주 잠을 깨는 눈치였고 이부자리에 지도를 그렸다고 야단을 맞는 모양이었다. 영기의 울음소리가 웬만큼 높아질 때까지는 가만 내버려 두다가 안방에까지 훤히 들릴 정도가 되면 권씨의 위협적인 목소리가 제꺼덕 천장을 타고 내 귀에까지 건너왔다. 그러면 그럴수록 영기 녀석은 울음 속에 세 살답지 않은 보복 의지 같은 걸 담아 비수처럼 휘둘러대는 것이었다. 급기야는 아내를 비롯한 우리 가족 전부가 잠을 깰 지경이 되었다. 저렇게 처마끝을 들고 서는 애를 달랠 생각도 않는다고 아내가 졸음겨운 소리로 투덜거렸다. 아닌게아니라 권씨 부인은 한마디 말이 없었다. 권씨네가 이사온 이후로 나는 지금까지 권씨 부인이 하다 못해 아야 소리 한마디 하는 걸 듣지 못했다.

"나가 버릴까부다, 차라리 아빠가 멀리 나가 버리고 말까 봐!"

부르짖음에 가까운 권씨의 비통한 소리가 들렸다. 그러자 어린것의 귀에도 그 말만은 놀라운 효험을 보인 모양이었다. 자지러지던 울음이 갑자기 뚝 그쳤다. 그래도 여전히 빨랫줄마냥 뻗으려는 울음의 꼬리를 아이는 도막도막 잘라 숨돌릴 겨를 없이 삼키느라고 잦추 사레가 들렸다.

아침이 되어 보니 권씨는 또 구두를 닦고 있었다. 구두닦기에 권씨는 여느 날보다도 유난히 더 열심이었다.

"간밤엔 죄송했습니다."

권씨가 슬리퍼를 신은 내 발을 상대로 정중히 사과를 했다. 이상한 일이었다. 권씨의 새삼스러운 사과가 내 귀엔 어쩐지, 간밤의 내 솜씨가 과연 어떻더냐고 묻는 성싶게만 들려 두고두고 떨떠름했다.

학교에서 실시하는 가정방문 주간이 이틀째로 접어드는 날이었다. 학생 하나를 향도로 세워 '별나라' 부락에 거주하는 학부형들을 차례로 찾아다니는 중이었다. 나는 때마침 어느 학교 신축 공사장 근처를 지나가고 있었다. 콘크리트 골조를 비잉 둘러 얼키설키 엮어 지른 비계가 머리 위로 높다랗게 보였고, 시멘트 벽돌을 등에 진 사내들이 흔들거리는 널다리를 줄지어 오르내리고 있었다. 모두들 걷어붙이고 벗어젖힌 몸들이 무척이나 탐스럽고 강인해 보였는데, 그 중에서 유독 한 사내가 내 눈길을 끌었다. 그는 흡사히 널벅지들 틈에 낀 간장 종지로 왜소해 가지고는 후들거리는 다리를 간신히 옮기는 것이었으며, 그토록 험한 일을 하면서 놀랍게도 완연한 사무원 복장이었다. 비계 바투 밑까지 접근해서 사내의 얼굴을 재삼 확인한 다음 나는 이렇게 외쳤다.

"권 선생, 거기 있는 게 권 선생 아니우?"

그 순간 벽돌장 하나가 똑바로 내 머리를 겨냥하고 무서운 속도로 낙하해 왔다. 잽싸게 몸을 피했기 때문에 다치지는 않았다. 서둘러 널다리를 내려온 권씨가 내 앞에 섰다. 정말 권씨였다. 그의 얼굴에 석고처럼 굳게 새겨진 경악을 보고 나는 그가 나를 죽일 작정으로 그러지 않았음을 알았다. 그는 전신이 땀과 먼지범벅이었다. 가까이서 보니 베이지색 와이셔츠 위에 받쳐 입은 춘추용 해군 기지 잠바는 작업에서 얻은 오손과 주름으로 말씀이 아니었다. 그러나 구두만은 여전해서 칠피 가죽에 공들여 올린 초콜릿빛 광택이 권씨의 가장 권씨다움을 외롭게 지켜 주고 있었다.

"내가 여기 있는 줄 어떻게 알았죠?"

마치 내가 자기 행방을 일부러 수소문해서 찾아오기라도 했다는 듯이 그는 물었다.

"학생들 가정방문을 다니다 지나는 길에 우연히……."

그는 가득 의심을 담은 눈으로 나와 내 반 학생을 번갈아 노려보았다. 증거까지 손에 쥐어 주는데도 그의 의심이 쉬이 풀릴 기색이 아니었으므로 나는 서둘러 신축 공사장을 뒤로해 버렸다.

밤이 꽤 늦어 권씨는 귀가했다. 그는 문간방을 거치지 않은 채 내가 들어 있는 안방으로 직행해 와서 두 홉들이 소주병 하나를 푹 꽂는 기세로 방바닥에 내려놓았다. 이미 어지간히 취해 있었다.

"이래봬도 나 안동 권씨요!"

피곤에 짓눌렸던 몸뚱이가 이번엔 술에 흠씬 젖어 갱신 못할 지경인데도 목소리만은 제법 또렷했다.

"물론 잘 아시리라 믿지만 안동 권씨 허면 어딜 가도 그렇게 괄신 안 받지요. 오 선생은 본이 해주던가요?"

내 구두가 자기 구두보다 항상 추저분하고 또 단벌임을 매번 확인하듯이 이참에는 성씨로써 일종의 길고 짧음을 대 볼 작정인 듯했다. 나는 그저 웃어 보였다. 웃으면서도 사람 좋게 보이려는 내 노력이 취중을 뚫고 그의 흔들리는 뇌수 깊이에까지 제대로 전달되기를 바랐다.

"권 선생, 많이 취하신 모양인데 얘긴 우리 나중에 하고 들어가서 쉬시죠."

팔짱을 낀 채 문간방 너머 마루에 잔뜩 부어터진 얼굴로 서 있는 아내를 흘끔흘끔 곁눈질하면서 나는 권씨를 편히 쉬게 하려는 생각이 순전히 자발적이며 선의에 찬 것임을 행동으로 강조해 보였다. 권씨가 내 선의를 홱 뿌리쳤다. 그는 반쯤 강제로 일으켜졌던 엉덩이를 도로 털썩 주저앉히더니 병뚜껑을 이빨로 물어 단숨에 깠다.

"전과자허군 벗하기 싫다 이겁니까? 허지만 어림두 없어요. 오늘은 내 기필코 헐말 다 허고 물러가리다."

"전짜자라구요?"

눈이, 벌어진 입만큼이나 되어 가지고 거의 이성을 잃을 정도로 냉큼 뛰어 들어왔으므로 아내의 음성은 자연히 깜짝 반기는 투와 구별할 수 없게 되었다. 그러나 결코 반기는 투가 아님이 다음 말로써 곧 분명해졌다.

"원 세상에, 세상에나! 방금 전짜자라구 하셨죠? 지끔 두 분이서 누구 얘길 하시는 거예요? 세상에, 세상에나…….."

"아주머닌 모르고 계셨습니까? 오 선생이 얘기하지 않던가요? 바루 제 얘깁니다. 왜요, 제 눈빛이 어쩐지 이상해 보입니까? 아주머니 문짜대로 전짜자허고 사람——그렇지, 사람이지——사람허고 이렇게 가차이 앉은 게 신기합니까?"

뛰어들 때와 똑같은 기세로 아내는 냉큼 몇 발짝 물러섰다. 빤히 올려다보는 권씨 앞에서 아내는 새파랗게 질려 가지고 단박 고분고분해졌다. 권씨가 앉으라면 앉고 들으라면 듣는 자세를 취했다.

"모기 앞정갱이 하나 뿌지를 힘도 없는 놈입니다. 뭐 조금도 겁내실 거 없습니다. 편안한 맘으로 내외분이서 제 얘기 들어 주십시오. 잠깐이면 됩니다."

그 때까지도 나는 적당히 권씨를 구슬려 문간방으로 돌려 보낼 기회만을 노리고 있었다. 그러나 그의 입에서 모기 앞정강이 부러뜨릴 힘도 없다는 고백이 나오고부터는 생각이 달라지지 않을 수 없었다.

"아마 프로이트가 한 말일 겁니다."

그는 병째 기울여 소주를 꿀꺽꿀꺽 들이켰다.

"성자와 악인은 종이 한 장 차이랍니다. 악인이 욕망을 행동으로 표현하는 대신에 성자는 그것을 꿈으로 대신하는 것에 불과하답니다."

그가 또 소주병을 기울이려 했으므로 나는 병을 빼앗은 다음 아내를 시켜 간단한 술상을 보아 오게 했다.

"내 입장을 그럴듯하게 꾸미기 위해서 성현을 깎아내릴 생각은 없습니다. 그렇지만 프로이트한테 커다란 위로를 받고 있는 건 사실입니다. 내가 전과자가 될 줄 미리 알구서 일찍이 그런 위로의 말을 준비해 둔 성싶거든요."

술상이 들어왔다. 저녁에 먹다 남긴 돼지찌개 재탕에다 끼니때마다 보는 밑반찬 두어 가지가 전부였다. 우리는 일차로 주거니받거니 했다. 그는 말했다.

"물독에 빠진 생쥐처럼 잔뜩 비를 맞던 저 화요일이 있기 전까지 나 역시 오 선생 이상으로 선량한 시민이었지요. 물론 내 안사람도 아주머니만큼이나 착하고 선량했을 겁니다. 불만이 있고 억울한 일이 있어도 기껏 꿈 속에서나 해결할 뿐이지 행동으로 나타낼 줄은 몰랐으니까요."

아내더러 술을 더 사오도록 했다. 술이 들어갈수록 그는 더욱 창백해졌으며, 너름새가 좋아졌다. 술이 그를 지껄이도록 시키고 있음이 분명했다. 그는 말했다.

"모든 게 무리였지요. 우선 나 같은 인간이 태어난 그 자체가 무리였고, 장질부사나 복막염 같은 걸로 죽을 기회 다 놓치고는 아등바등 살아나서 처자식까지 거느린 게 무리였고, 광주단지에다 집을 마련한 게 무리였고, 이래저래 무리 아닌 일이 하나도 없었습니다."

지상낙원이 들어선다는 소문이 특히 없이사는 사람들 사이에 굉장한 설득력을 지닌 채 퍼지고 있었다. 꼭 그걸 믿어서가 아니었다. 외려 그는 처음부터 낙원이란 게 별게 아님을 믿는 편이었다. 다만 차제에 내 집을 마련할 수 있다는 유혹의 손에 덜미를 잡혀 서울에서 통근 거리 안에 든다는 그 이점을 너무 과대평가했던 과오는 인정하지 않는 바 아니다. 결국 그는 당시 형편으로 거금에 해당하는 20만 원을 변통해서 복덕방 영감쟁이를 통하여 철거민의 입주 권리를 손에 넣었다.

"난생 처음 이십 평짜리 땅덩어리가 내 소유로 떨어진 겁니다. 내 차지가 된 그 이십 평이 너무도 대견해서 아침저녁으로 한 뼘 한 뼘 애무하다시피 재고 밟고 하느라고 나는 사실은 나 이상으로 불행한 어느 철거민의 소유였어야 할 그것이 협잡으로 나한테 굴러떨어진 줄을 전혀 잊고 지낼 정도였습니다. 당시의 나한테는 이 세상 전체가 끽해야 이십 평에서 그렇게 많이 벗어나게 커 보이지는 않았습니다."

가까스로 대지는 마련되었으나 그 위에 기둥을 세우고 비바람을 가릴 여유는 아직 없어 땅을 묵히다가 또 간신히 낡은 텐트 하나를 구해서 버티기를 몇 달이나 했다. 선거철이었다. 지상낙원 건설의 청사진에 갖가지 공약들이 한 획 한 획 첨가되었다. 곳곳에서 기공식들이 화려하게 벌어지고 건설 붐이 일었다. 당장 막벌이 날품팔이들의 천국이 눈앞의 현실로 바싹 당겨졌다. 갈수록 선거 열풍이 거세짐과 더불어 지가가 열나게 뛰고 사람 값이 종종걸음을 치고 하는 그 사이를 부동산 투기업자들이 훨훨 날아다녔다. 그는 생각하기를, 이와 같은 움직임 모두가 자기하고는 하등 상관이 없는 것이려니 했다. 그런 생각이 얼마나 잘못 되었나를 그는 선거가 끝났을 때 이십 촉짜리 전등 밑에서 벼락이 머리에 닿듯이 아찔하게 확인했다.

"국회의원 선거가 끝난 바로 그 다음 날이었습니다. 이틀만 지났어도 두말 않겠어요. 어제 끝났으면 오늘 그런 겁니다."

한 장의 통지서가 배부되어 왔다. 6월 10일까지 전매 소유한 땅에다 집을 짓지 않으면 불하를 취소하겠다는 내용이었다. 보름 후면 6월 10일이었다. 보름 안에 집을 지으라는 얘기였다. 자기가 날품팔이가 아니래서, 자기 생계의 근원이 여전히 서울이래서 대단지의 부산스런 움직임과는 무관한 것처럼 처신해 온 그는 뒤늦게 사타귀에서 방울 소리가 나도록 뛰어다니지 않으면 안 되었다. 우선 며칠씩 출판사를 무단 결근하면서 닥치는 대로 돈을 변통하기에 급급했다. 돈이 되는 대로 시멘트와 블록과 각목을 사서 마누라와 함께 한 단 한 단 쌓아올리기 시작했다. '저나 내나' 건축엔 눈곱만큼의 지식도 없었지만 그저 본능이 시키는 대로, 이렇게 하면 최소한 넘어지지는 않겠거니 하는 어림 하나로 소위 집을 짓는 엄청난 일을 겁없이 감행했다. 지상낙원이란 구호에 합당할 그럴듯한 가옥을 당국에서 요구하지 않는 것이 무엇보다 다행이었고 고마운 일이었다. 건자재가 떨어지면 작업을 중단하고 뛰어나가 비럭질하다시피 돈을 꾸어다 재료를 대기를 몇 차례나 거듭하는 사이에 어느덧 사면 벽이 세워지고 지붕이 씌워졌다. 채 보름도 걸리지 않았다. 외양이나 실질이야 아무렇든 자기가 원하고 당국에서 요구한 그 집이 드디어 완성된 것이다.

"서둘러서 집을 짓도록 명령한 당국에다 외려 감사해야 할 판이었어요. 우리는 한 달 남짓 고대광실에라도 든 기분으로 둥둥 떠서 지냈습니다. 그 한 달 내내 마누라는 은경이년을 끌어안고 쫄쫄 쥐어짜기만 했지요."

겨우 한숨 돌리려는 참인데 또 통지서가 왔다. 전매 입주자는 분양 전 토지 20평을 평당 8천 원 내지 1만 6천 원으로 계산하여 7월말까지 일시불로 납부하는 조건으로 불하받으라는 것이었다. 만일 기한 내 납부치 않으면 해약은 물론 법에 의해 6개월 이하의 징역이나 30만 원 이하의 벌금을 과하도록 하겠다는 단서가 붙어 있었다.

"이번 역시 보름 기한이었어요. 보름 되게 좋아합디다. 걸핏하면 보름 안으로 해내라는 거예요."

엎친 데 덮쳐 경기도에서는 토지취득세 부과통지서를 발부했다. 관할과 소속이 각기 다른 서울시와 경기도가 이렇게 쌍나발을 부는 바람에 주민들은 거의 초주검 꼴이 되었다. 광주대단지 토지불하 가격시정 대책위원회라는 유례없이 긴 이름의 임의단체가 조직되었다. 대책위원회는 곧 투쟁위원회로 개칭되었다. 속에 식자깨나 든 것으로 알려져 그는 같은 배를 탄 전매 입주자들에 의해서 대책위원과 투쟁위원을 고루 역임하게 되었다.

"그게 만약 감투 축에 든다면, 나한텐 정말 분에 넘치는 감투였어요."

겸손의 말이 아니었다. 그런 일을 감당할 만한 능력도 없을뿐더러 자기는 여전히 광주단지 사람이 아니며 어디까지나 서울사람이라는 생각 때문에 맡고 싶지도 않았고, 그래서 뻔질나게 열리는 회의에 한 번도 참석지 않았다. 해결의 실마리라곤 전혀 보이지 않는 가운데 팽팽한 긴장 속에서 7월 말 시한을 넘기고 8월 10일을 맞았다. 투쟁위원회에서 최후 결단의 날로 정한 바로 그 날이었다.

공기가 흉흉했다. 그 흉흉한 공기가 저기압을 불러왔음직했다. 비가 내렸다. 이른 아침부터 거리에 전단이 살포되고 벽보가 나붙었다. 시간이 되면 가슴에 달기로 한 노란 리본이 나누어졌다. 그는 방 안에서 꼼짝도 않으면서 밖에서 벌어지는 움직임에 잔뜩 신경을 곤두세우고 있었다. 꼭 무슨 일이 일어나고야 말 것을 예감케 하는 분위기였다. 그게 두려웠다. 무슨 일이 일어난다는 건 그에게 있어 일어나지 않느니만 같지 못했다. 비는 간헐적으로 내렸다. 11시가 지났다. 11시에 나와서 위원회 대표들과 면담하기로 약속한 사람이 나타나지 않자 사람들은 기다리는 일을 포기해 버렸다. 모두들 거리로 뛰쳐 나오라고 외치는 소리가 골목을 누볐다. 맨주먹으로 있지 말고 무엇이든 되는대로 손에 잡으라고 그 소리는 덧붙이고 다녔다. 누군지 빈지문이 떨어져 나가게 두들기는 사람이 있었다.

"권 선생! 권 선생! 집에 기슈?"

가슴이 덜컥 내려앉는 소리였다. 그는 마누라를 시켜 벌써 출근했다고 거짓말을 하게 했다. 누군지 모를 사내를 따돌리고 나서 그제야 생각해 보니 화요일이 아닌가. 일요일도 아닌데 여태껏 출근하지 않고 빈둥거린 그 이유는 또 뭔가. 별안간 그는 깜짝 놀랐다. 그것은 의타심이었다. 자기도 깊이 관련된 일에 정작 자기는 뛰어들 의사가 없으면서도 남들의 힘으로 그 일이 성취되는 순간이 오기를 기다리는 기회주의의 자세였다. 그것은 여지없이 하나의 자각이면서 동시에 부끄러움의 확인이었다. 그는 후닥닥 일어나 밖으로 나갔다. 그는 길을 가득 메운 채 손에 몽둥이와 각종 연장 따위를 들고 출장소 쪽으로 구호를 외치며 달려가는 사람들을 보았다. 그들과 마주쳤을 때 그는 낮도둑처럼 얼른 샛길로 몸을 피했다. 부끄럽게 자신을 깨달은 뒤끝이니까 한 번쯤 발길이 그들 쪽으로 향할 법도 하건만 그의 눈은 완강하게 서울로 가는 버스만 찾고 있었다. 그러나 헛수고였다. 외부로 통하는 교통 수단은 이미 두절되어 있었다. 차를 찾는 잠깐 사이에도 전신이 비에 흠뻑 젖었다. 바람을 받으며 엇비슷이 때리는 끈덕진 비로 거리에 나온 사람들은 저마다 후줄근히들 젖어 있었다. 그는 차잡기를 포기하고 인적이 뜸한 골목만 골라 걷기 시작했다. 생전 처음 걷는 생소한 길을 서울로 통하는 길이거니 하면서 무작정 걷다가 자기와 비슷한 처지의 동무를 만나게 되었다. 몽둥이와 돌멩이를 든 군중을 피해서 요리조리 골목을 누비며 오는 택시였다. 그는 재빨리 골목길 한복판을 결사적으로 막아 섰다. 요금은 암만이라도 좋았다. 택시 안에 일행으로 보이는 신사분 셋이 선승해 있었다. 그들을 태운 택시가 어쩔 수 없이 통과하지 않으면 안 되는 광주 단지의 관문에 다다랐을 때 검문에 걸렸다. 원시 무기로 무장한 일단의 청년들이 살기등등해 가지고 무조건 차에서 내릴 것을 명령했다.

"아하, 투쟁위원님이 타구 계셨군요. 단신으로 서울까지 쳐들어가서 투쟁하시긴 아무래도 무립니다. 어서 내리십쇼."

웬 청년이 다가오더니 허리를 굽실하고 빙싯빙싯 웃으며 친절히 말했다. 청년은 용케도 그를 알아보는 모양이나 이쪽에서는 상대방이 누군지 전혀 기억에 없었다. 잠시 그가 어물쩍거리자 곁에 있던 다른 청년이 잡담 제하고 몽둥이를 휘둘러 단박에 차창을 박살내 버렸다.

"개새끼들아, 늬들 목숨만 목숨이냐?"

"다른 사람들은 몇 끼씩 굶고 악을 쓰는 판인데 택시나 타고 앉았다니, 늘어진 개팔자로군."

"굶어도 같이 굶고 먹어도 같이 먹어! 죽어도 같이 죽고 살아도 같이 살잔 말야!"

각목이나 자전거 체인 따위를 코앞에 들이대면서 청년들이 가뜩이나 쉰 목청을 한껏 드높이고 있었다. 물론 그러기 전에 차에 탔던 승객들은 차창이 부서져 나가는 순간 밖으로 뛰어나와 이미 절반쯤은 죽어 있었다.

"권 선생님, 저쪽으로 가실까요."

처음 알은 체하던 예의 그 청년이 그에게 귀엣말을 했다. 그가 가장 두렵게 느끼는 건 몽둥이가 아니었다. 친절이었다. 청년은 웃음으로 그를 묶어 도로변 잡초더미까지 손쉽게 연행해 갔다. 그리고는 거기에서 일장의 설교를 늘어놓기 시작했다. "물론 잘 아시겠지만……"이라고 말 끝마다 전제하면서 청년은 주로, 지금 이 시간에도 먹고 마시고 춤추고 침대에서 뒹굴고 있을 서울의 유한계급과 대단지 안의 처참한 생활상을 침이 마르도록 대비시킴으로써, 아직도 잠자고 있는 그의 사회적 지각을 새 나라의 어린이처럼 벌떡 일어나게 하려는 수작인 줄은 짐작이 되는데, 한 마디도 귀에 들어오지 않았다. 대체 사람이 얼마나 잔인하면

이런 판국에서도 저토록 친절할 수 있을까만을 그는 생각하고 있었다. 자신의 설교가 웬만큼 먹혀들었다고 판단했던지 청년은 그를 이끌고 가파른 산등성이를 질러 단지 중심부로 들어갔다.

"바루 저기 저 부근이었어요."

그는 우리 방 들창 쪽을 손으로 가리켰다. 그러나 유감스럽게도 안방 아랫목에 앉아서는 그가 가리키는 저기가 어디쯤인지 가늠키 어려웠다. 우리 내외의 얼굴이 실감한 사람답잖게 맨송맨송한 걸 알아차린 그는 갑자기 벌떡 일어서는가 싶더니 어느 새 마루로 뛰어나가고 있었다. 덩달아 내가 뛰어나간 것은 순전히 그를 붙잡기 위해서였다. 언제 들어왔는지 마루끝 현관 부근에 권씨의 일가족이 오보록이 몰려 차례로 뛰어나오는 우리를 빤히 올려다보고 있었다. 아비를 보자마자 새끼들 입에서 대번에 울음이 터져 나왔다. 잔뜩 부른 배를 금방이라도 마루에 내려놓을 듯한 자세를 취한 채 권씨 부인은 홍당무가 된 자기 남편을 그저 멀뚱이 쳐다볼 따름이었다.

"울 것 없다. 느이 애비 아직 안 죽었다."

가장으로서의 체통 같은 걸 다분히 의식하는 목소리로 그가 낮게 말했다. 그는 내친걸음에 아들딸들 울음의 틈서리를 뚫고 마당에까지 진출했다. 말은 똑바로 하면서도 걸음은 비틀거리는 것이 아마 평형을 잃지 않으려는 그의 의지가 혀 아래까지는 미치지 못하는 모양이었다.

"저기 저쯤이었지요."

방 안에서보다 훨씬 자신이 붙은 소리로 그가 재차 설명했다. 언덕 아래 한참 거리에 달칵 쏟아부은 듯한 불빛의 무리가 그의 가리키는 손끝에서 놀고 있었다. 어른들끼리 시방 서로 싸우느라고 그러는 것이 아닌 줄을 벌써 알아차렸을 텐데도 아이들은 봇물 터지듯 나오는 울음을 조금도 누그러뜨리려 하지 않았다.

"저것 좀 보라고 청년이 갑자기 소리칩디다. 그렇잖아도 난 이미 보고 있었는데요. 빗속에서 사람들이 경찰하고 한참 대결하는 중이었죠. 최루탄에 투석으로 맞서고 있었어요. 청년은 그것이 마치 자기 조홧속으로 그려진 그림이나 되는 것같이 기고만장입디다만, 솔직히 얘기해서 난 비에 젖은 사람들이 똑같이 비에 젖은 사람들을 상대로 싸우는 그 장면에 그렇게 감동하지 않았어요. 그것보다는 다른 걱정이 앞섰으니까요. 이 친구가 여기까지 끌고 와서 끝내 날 어쩔 작정인가 하고 말입니다. 그런데 잠시 지켜보고 있는 사이에 장면이 휘까닥 바뀌져 버립니다. 삼륜차 한 대가 어쩌다 길을 잘못 들어 가지고는 그만 소용돌이 속에 파묻힌 거예요. 데몰 피해서 빠져나갈 방도를 찾느라고 요리조리 함부로 대가리를 디밀다가 그만 뒤집혀서 벌렁 나자빠져 버렸어요. 누렇게 익은 참외가 와그르르 쏟아지더니 길바닥으로 구릅디다. 경찰을 상대하던 군중들이 돌멩이질을 딱 멈추더니 참외 쪽으로 벌떼처럼 달라붙습디다. 한 차분이나 되는 참외가 눈 깜짝할 새 동이 나버립니다. 진흙탕에 떨어진 것까지 주워서는 어적어적 깨물어 먹는 거예요. 먹는 그 자체는 결코 아름다운 장면이 못 되었어요. 다만 그런 속에서도 그걸 다투어 주워 먹도록 밑에서 떠받치는 그 무엇이 그저 무시무시하게 절실할 뿐이었죠. 이건 정말 나체화구나 하는 느낌이 처음으로 가슴에 팍 부딪쳐 옵디다. 나체를 확인한 이상 그 사람들하곤 종류가 다르다고 주장해 나온 근거가 별안간 흐려지는 기분이 듭디다. 내가 맑은 정신으로 나를 의식할 수 있었던 것은 거기까지가 전부였습니다."

그가 더 이상 이야기를 계속할 눈치가 아니었으므로 나는 비로소 그에게 말을 걸 기회를 얻었다.

"그 뒤 권 선생이 어떻게 되셨는지 물어봐도 괜찮겠습니까?"

"벌써 물어 놓고는 뭘 양해를 구하십니까. 사흘 후에 형사가 출판사로 찾아와서 수갑을 채우더군요. 경찰에서 증거로 제시하는 사진들을 보고 놀랐습니다. 사진 속에서 난 버스 꼭대기에도 올라가 있고 석유 깡통을 들고 있고 각목을 휘둘러 대고 있기도 했습니다. 어느 것이나 내 얼굴이 분명하긴 한데 나로서는 전혀 기억에 없는 일들이었으니까요."

이제 그 이야기에 관해서는 들을 만큼 다 들은 셈이었다. 느닷없이 소주병을 꿰차고 들어와서 여태껏 잠자코 입을 봉하고 있던 그 이야기를 새삼스럽게 길게 늘어놓은 이유도 능히 짐작할 수 있었다. 하지만 내겐 아직도 궁금한 구석이 공연한 부담감과 함께 남아 있었다. 차제에 그걸 풀 수만 있다면 피차를 위해서 오히려 잘된 일일 것이었다.

"내가 이 순경을 만나는 줄 진작부터 알고 계셨습니까?"

권씨가 소리없이 웃었다.

"정확히 말해서 이 순경이 오 선생을 만나는 거겠죠. 어느 한 부분이 장해를 받으면 다른 한 부분이 비상하게 예민해지는 법입니다. 내 경우 그것은 제 육감입니다."

"설마 이 순경한테 고자질했다고 생각하진 않으시겠죠? 이 순경은 그걸 협조라는 말로 표현했습니다만……."

그는 또 소리없이 웃었다.

"방금 얘기했잖습니까, 경우에 따라서 사람은 자기가 전혀 원치 않던 일을 자기도 모르는 사이에 할 수도 있다고 말입니다. 오 선생도 아마 거기서 예외는 아닐 겁니다. 지금까진 하진 않았지만 앞으로도 협조하지 않는다고 장담하실 필요는 없습니다."

그날 밤, 잠자리에 들면서 아내가 내 귀에 속삭였다.

"권씨 그 사람 꼴로 볼 게 아니네요. 어리숙한 줄 알았더니 여간내기 아녜요."

"앉으라면 앉고 서라면 서고, 당신 꼼짝없이 당하더구만."

"아이, 분해라!"

불을 끈 다음에 아내가 다시 소곤거려 왔다.

"당신두 보셨죠? 오늘사 말고 영기 엄마 배가 유난히 더 불러 보였어요. 혹시 쌍둥이나 아닌가 싶어서 남의 일 같잖아요. 여덟 달밖에 안 된 배가 그렇게 만삭이니 원……."

"당신더러 대신 낳으라고 떠맡기진 않을 거야. 걱정 마."

나는 그날 밤 디킨즈와 램의 궁둥이를 번갈아 걷어차는 꿈을 꾸었다. 내가 권씨의 궁둥이를 걷어차고 권씨가 내 궁둥이를 걷어차는 꿈을 꾸었다.

아내가 권씨네에 대해서 갑자기 관심을 보이기 시작했다. 좀더 정확히 얘기해서 권씨 부인의 그 금방 쏟아질 것만 같은 아랫배에 관한 관심이었다. 말투로 볼 때 남자들이 집을 비우는 낮 동안이면 더러 접촉도 가지는 모양이었다. 예정일도 모르더라면서 아내는 낄낄낄 웃었다. 임산부가 자기 분만 예정일도 몰라서야 말이 되느냐고 핀잔했더니, 까짓것 알아도 그만 몰라도 그만, 어차피 때가 되면 배아프며 낳기는 마찬가지라면서 태평으로 있더라는 것이었다.

권씨는 여전히 일자리를 구하지 못한 채였다. 일정한 직장이 없으면서도 아침만 되면 출근 복장을 차리고 뻔질나게 밖으로 나가곤 했다. 몸에 붙인 기술도, 그렇다고 타고난 뚝심도 없으면서 계속해서 공사판 같은 데 나가 막일을 하는 눈치였다. "동주운아, 노올자아!" 하고 둘이 합창하듯이 길게 외치면서 일단 안방까지 들어오는 데 성공한 권씨의 아이들은 끼니때가 되어도 막무가내로 버티면서 문간방으로 돌아가지 않는 적이 자주 있게 되었다. 문간방의 사정이 심상치 않다는 징조였다.

그렇다고 권씨나 권씨 부인이 우리에게 터놓고 도움을 청한 적은 한 번도 없었다. 다만 우리로 하여금 그런 꼴을 목격하고도 도울 마음을 먹지 않으면 도무지 인간이 아니게시리 상황을 최악의 선까지 잠자코 몰고 갈 뿐이었다. 애당초 이 순경이 기대했던 그대로 산타클로스 비슷한 꼴이 되어, 쌀이나 연탄 따위를 슬그머니 문간방 부엌에다 넣어 주고 온 날 저녁이면 아내는 분하고 억울해서 밥도 제대로 못 먹었다. 임부나 철부지 애들을 생각한다면 그까짓 알량한 선심쯤 아무렇지도 않다는 주장이었다. 하지만 제게 딸린 처자식조차 변변히 건사 못하는 한 얼간이 사내한테까지 자기 선심의 일부나마 미칠 일을 생각하면 괘씸해서 잠이 안 올 지경이라고 생병을 앓았다. 권씨가 여간내기 아니라고 속삭이던게 엊그제인 걸 벌써 잊고 아내는 셋방 잘못 내줬다고 두고두고 자탄하는 것이었다.

남편이 여전히 벌이가 시원찮은 상태에서 권씨 부인은 어언 해산의 날을 맞게 되었다. 진통이 시작된 지 꽤 오래되는 모양이었다. 아내의 귀띔으로는 점심 무렵이 지나서부터 그런다고 했다. 학교에서 돌아와 저녁을 먹다가 나는 문간방에서 울리는 괴상한 소리를 들었다. 처음에는 되게 몸살을 하듯이 끙끙 앓는 소리로 시작되었다. 그러다가 느닷없이 몸의 어딘가에 깊숙이 칼이라도 받는 양 한 차례 처절하게 부르짖고는 이내 도로 잠잠해지곤 하면서 이러기를 몇 번이고 되풀이하는 것이었다. 나로서는 그것이 방을 세내준 이후로 처음 듣는 권씨 부인의 목소리였다.

"당신이 한 번 권씰 설득해 보세요. 제가 서너 번 얘길 했는데두 무슨 남자가 실실 웃기만 하믄서 그저 염려 없다구만 그러네요."

병원 얘기였다.

"권씨가 거절하는 게 아니고 돈이 거절하는 거겠지."

아내는 진즉부터 해산 준비가 전혀 되어 있지 않음을 더러는 흉보고 또 더러는 우려해 왔었다.

"남산만이나 한 배를 갖구서 요즘 세상에 그래 앨 집에서, 그것도 산모 혼잣힘으로 낳겠다니, 아무래두 꼭 무슨 일이 터질 것만 같애요. 달이 다 차도록 기저귀감 하나 장만 않는 여편네나 조산원 하나 부를 돈도 마련이 없는 사내나 어쩜 그리 짝짜꿍인지!"

서둘러 식사를 끝내고 나서 나는 권씨를 마당으로 불러냈다. 듣던 대로 권씨는 대뜸 아무 염려 말라면서 실실 웃었다. 마치 곤경에 빠진 나를 극진히 위로해 주는 투였다.

"둘째 때도 마누라 혼자서 거뜬히 해치웠거든요."

"우리가 염려하는 건 권 선생네가 아니라 바로 우리를 위해서요. 물론 그럴 리야 없겠지만 만의 일이라도 일이 잘못될 경우 난 권 선생을 원망하겠소."

작자가 정도 이상으로 느물거린다 싶어 나는 엔간히 모진 소리를 남기고는 방으로 들어와 버렸다. 정히나 어려우면 분만비를 빌려줄 수도 있음을 넌지시 비쳤는데도 작자가 끝내 거절한 것은, 까짓것 변두리 병원에서 얼마 들지도 않을 비용을 빌려쓴 다음 나중에 갚는 그 알량한 수고를 겁낸 나머지, 두 목숨을 건 모험 쪽을 택한 계산속일 거라고 나는 단정해 버렸다.

그러나 한결같은 상태로 자정을 넘기고 나더니 사정이 달라졌다. 경산치고는 진통이 너무 길고 악착스러운 데 겁이 났던지 권씨는 통금이 해제되기도 전에 부인을 업고 비탈길을 내려가느라고 한바탕 북새를 떨었다. 북이 북채 위에 업힌 모양으로 권씨 내외가 우리 집 문간방을 빠져나가는 걸 보는 것만으로도 한 근심 더는 기분이었다. 미역근이나 사놓고 기다리다가 소식이 오면 병원에 가 보라고 아내에게 이르고는 출근했다.

오후 수업이 시작된 바로 뒤에 뜻밖에도 권씨가 나를 찾아왔다. 때마침 나는 수업이 없어 교무실에서 잡담이나 하고 있는 중이어서 수위로부터 연락을 받자 곧장 학교 정문으로 나갈 수가 있었다.

"바쁘실 텐데 이거 죄송합니다."

권씨는 애써 웃는 낯이었고 왠지 사람이 전에 없이 퍽 수줍어 보였다. 나는 그 수줍음이 세 번째 아이의 아버지가 된 데서 오는 것일 거라고 좋은 쪽으로만 해석함으로써 연락을 받는 그 순간에 느낀 불길한 예감을 떨쳐 버리려 했다.

"잘됐습니까?"

"뒤늦게나마 오 선생 말씀대로 했기 망정이지 끝까지 집에서 버텼다간 큰일날 뻔했습니다. 녀석인지 년인진 모르지만 못난 애비 혼 좀 나라고 여엉 애를 멕이는군요."

권씨는 수줍게 웃으며 길바닥 위에다 발부리로 뜻 모를 글씬지 그림인지를 자꾸만 그렸다. 먼지가 풀풀 이는 언덕길을 터벌터벌 올라왔을 터인데도 그의 구두는 놀랄 만큼 반짝거렸다. 나를 기다리는 동안 틀림없이 바짓가랑이 뒤쪽에다 양쪽 발을 번갈아가며 문지르고 있었을 것이었다.

"십만 원 가까이 빌릴 수 없을까요!"

밑도끝도없이 그는 이제까지의 수줍음이 싹 가시고 대신 도발적인 감정 같은 걸로 그득 채워진 얼굴을 들어 내 면전에 대고 부르짖었다. 담배 한 대만 꾸자는 식으로 십만 원 소리가 허망히도 나왔다. 내가 잠시 어리둥절해 있는 사이에 그는 매우 사나운 기세로 말을 보태는 것이었다.

"수술을 해야 된답니다. 엑스레이도 찍어 봤는데 아무 이상이 없답니다. 모든 게 다 정상이래요. 모체 골반두 넉넉허구요. 조기 파수도 아니구 전치 태반도 아니구요. 쌍둥이는 더더욱 아니구요. 이렇게 정상적인데도 이십사 시간이 넘두룩 배가 위에 달라붙는 경우는 태아가 돌다가 탯줄을 목에 감았을 때뿐이랍니다. 제기랄, 탯줄을 목에 감았다는군요. 빨리 손을 쓰지 않으면 산모나 태아나 모두 위험하대요."

어색하게 들린 것은 그가 '제기랄'이라고 씹어뱉은 그 대목뿐이었다. 평상시의 권씨답지 않은 그 말만 빼고는 그럴 수 없이 진지한 이야기였다. 아니다. 그가 처음으로 점잖지 못한 그 말을 사용했기 때문에 내 귀엔 더욱더 진지하게 들렸을지도 모른다. 나는 한동안 망설이지 않을 수 없었다. 그의 진지함 앞에서 '아아, 그거 참 안됐군요'라든가 '그래서 어떡하죠' 하는 상투적인 말로 섣불리 이쪽의 감정을 전달하기엔 사실 말이지 '십만 원 가까이'는 내게 너무나 큰 부담이었다. 집을 살 때 학교에다 진 빚을 아직 절반도 못 가린 처지였다. 정상 분만비 1, 2만 원 정도라면 또 모르지만 단순히 권씨를 도울 작정으로 나로서는 거금에 해당하는 10만 원 가까이를 또 빚진다는 건 무리도 이만저만이 아니었다. 뿐만 아니라 집안에서 경제권을 장악하고 있는 아내의 양해도 없이 멋대로 그런 큰일을 저질러도 괜찮을 만큼 나는 자유롭지도 못했다.

"빌려만 주신다면 무슨 짓을, 정말 무슨 짓을 해서라도 반드시 갚겠습니다."

반드시 갚는 조건임을 강조하면서 그는 마치 성경책 위에다 오른손을 얹고 말하듯이 엄숙한 표정을 했다. 하마터면 나는 잊을 뻔했다. 그가 적시에 일깨워 주었기 망정이지 안 그랬더라면 빌려 주는 어려움에만 골똘한 나머지 빌려 줬다 나중에 돌려받는 어려움이 더 클 거라는 사실은 생각도 못할 뻔했다. 그렇다. 끼니조차 감당 못하는 주제에 막벌이 아니면 어쩌다 간간이 얻어 걸리는 출판사 싸구려 번역일 가지고 어느 해가에 빚을 갚을 것인가. 책임이 따르는 동정은 피하는 게 상책이었다. 그리고 기왕 피할 바엔 저쪽에서 감히 두말을 못하도록 야멸차게 굴 필요가 있었다.

"병원 이름이 뭐죠?"

"원산부인괍니다."

"지금 내 형편에 현금은 어렵군요. 원장한테 바로 전화 걸어서 내가 보증을 서마고 약속할 테니까 권 선생도 다시 한 번 매달려 보세요. 의사도 사람인데 설마 사람을 생으로 죽게야 하겠습니까. 달리 변통할 구멍이 없으시다면 그렇게 해 보세요."

내 대답이 지나치게 더디 나올 때 이미 눈치를 챈 모양이었다. 도전적이던 기색이 슬그머니 죽으면서 그의 착하디착한 눈에 다시 수줍음이 돌아왔다. 그는 고개를 좌우로 흔들어 보였다.

"원장이 어리석은 사람이길 바라고 거기다 희망을 걸기엔 너무 늦었습니다. 그 사람은 나한테서 수술 비용을 받아내기가 수월치 않다는 걸 입원시키는 그 순간에 벌써 알아차렸어요."

얼굴에 흐르는 진땀을 훔치는 대신 그는 오른발을 들어 왼쪽 바짓가랑이 뒤에다 두어 번 문질렀다. 발을 바꾸어 같은 동작을 반복했다.

"바쁘실 텐데 실례 많았습니다."

'썰면'처럼 두툼한 입술이 선잠에서 깬 어린애같이 움씰거리더니 겨우 인사말이 나왔다. 무슨 말이 더 있을 듯싶었는데 그는 이내 돌아서서 휘적휘적 걷기 시작했다. 나는 내심 그 입에서 끈끈한 가래가 묻은 소리가, 이를테면, 오 선생 너무하다든가, 잘 먹고 잘 살라든가 하는 말이 날아와 내 이마에 탁 들러붙는 순간에 대비하고 있었는지도 모른다. 그래서 그가 갑자기 돌아서면서 나를 똑바로 올려다봤을 때 그처럼 흠칫 놀랐을 것이다.

"오 선생, 이래봬도 나 대학 나온 사람이오."

그것뿐이었다. 내 호주머니에 촌지를 밀어 넣던 어느 학부형같이 그는 수줍게 그 말만 건네고는 언덕을 내려갔다. 별로 휘청거릴 것도 없는 작달막한 체구를 연방 휘청거리면서 내딛는 한걸음 한걸음마다 땅을 저주하고 하늘을 저주하는 동작으로 내 눈에 그는 비쳤다.

산고팽이를 돌아 그의 모습이 벌거벗은 황토의 언덕 저쪽으로 사라지는 찰나, 나는 뛰어가서 그를 부르고 싶은 충동을 느꼈다. 돌팔매질을 하다 말고 뒤집혀진 삼륜차로 달려들어 아귀아귀 참외를 깨물어 먹는 군중을 목격했을 당시의 권씨처럼, 이건 완전히 나체구나 하는 느낌이 팍 들었다.

그리고 내가 그에게 암만의 빚을 지고 있음을 퍼뜩 깨달았다. 전셋돈도 일종의 빚이라면 빚이었다. 왜 더 좀 일찍이 그 생각을 못했는지 모른다.

원산부인과에서는 만단의 수술 준비를 갖추고 보증금이 도착되기만을 기다리고 있었다. 학교에서 우격다짐으로 후려낸 가불에다 가까운 동료들 주머니를 닥치는 대로 떨어 간신히 마련한 일금 10만 원을 건네자 금테의 마비츠 안경을 쓴 원장이 바로 마취사를 부르도록 간호원에게 지시했다. 원장은 내가 권씨하고 아무 척분도 없으며 다만 그의 셋방 주인일 따름인 걸 알고는 혀를 찼다.

"아버지가 되는 방법도 여러 질이군요. 보증금을 마련해 오랬더니 오전 중에 나가서는 여태껏 얼굴 한 번 안 비치지 뭡니까."

"맞습니다. 의사가 애를 꺼내는 방법도 여러 질이듯이 아버지 노릇하는 것도 아마 여러 질일 겁니다."

나는 내 말이 제발 의사의 귀에 농담으로 들리지 않기를 바랐으나 유감스럽게도 금테 안경의 상대방은 한차례의 너털웃음으로 그걸 간단히 눙쳐 버렸다. 나는 이미 죽은 게 아닌가 싶게 사색이 완연한 권씨 부인이 들것에 실려 수술실로 들어가는 걸 거들었다.

생명을 꺼내고 그 생명을 수용했던 다른 생명까지 암냥해서 건지는 요란한 수술치곤 너무도 쉽게 끝났다. 보호자 대기석에 앉아서 우리 집 동준이놈을 얻을 때처럼 줄담배질로 네 댄가 다섯 대째 불을 붙이고 나니까 울음소리가 들렸다.

"고추예요, 고추!"

수술을 돕던 원장 부인이 나오면서 처음 울음을 듣는 순간에 내가 점쳤던 결과를 큰 소리로 확인해 주었다. 진짜 보호자를 상대하듯이 원장 부인이 내게 축하를 보내 왔으므로 나 역시 진짜 보호자 입장에서 수고를 치하하지 않을 수 없었다. 잠시 후에 나는 강보에 싸여 밖으로 나오는 권기용 씨의 차남을 대면할 수 있었다.

제 어미 배를 가르고 나온 놈답지 않게 얼굴이 두툼한 것이 속없이 잘도 생겼다. 제왕절개라는 말이 풍기는 선입감에 딱 어울리게끔 목청이 크고 우렁찼다. 병원 건물을 온통 들었다 놓는 억세디억센 놈의 울음소리를 듣는 동안 나는 동준이놈을 낳던 날의 감격 속으로 고스란히 빠져 들어갔다.

우리 집에 강도가 든 것은 공교롭게도 그날 밤이었다. 난생 처음 당해 보는 강도였다. 자꾸만 누군가 내 어깨를 흔들어 대고 있었다. 귀찮다고 뿌리쳐도 잠자코 계속 흔들었다.

나를 깨우려는 손의 감촉이 내 식구의 그것이 아님을 퍼뜩 깨닫고 눈을 떴을 때 나는 빨간 꼬마전구 불빛 속에서 복면의 사내를 보았다. 그리고 똑바로 내 멱을 겨누고 있는 식칼의 서슬도 보았다. 술냄새가 확 풍겼다. 조명 빛깔을 감안해서 붉은빛을 띤 검정 계통의 보자기일 복면 위로 드러난 코의 일부와 눈자위가 나우 취해 있음을 나는 재빨리 간파했다.

"일어나, 얼른 일어나라니까."

나 외엔 더 깨우고 싶지 않은지 강도의 목소리는 무척 낮고 조심스러웠다.

나는 일어나고 싶었지만 도무지 일어날 수가 없었다. 멱을 겨눈 식칼이 덜덜덜 위아래로 춤을 추었다.

만약 강도가 내 목통이라도 찌르게 된다면 그것은 고의에서가 아니라 지나친 떨림으로 인한 우발적인 상해일 것이었다. 무척 모자라는 강도였다.

나는 복면 위의 눈을 보는 순간에 상대가 그 방면의 전문가가 못 됨을 금방 알아차렸던 것이다. 딴에 진탕 마신 술로 한껏 용기를 돋웠을 텐데도 보기 좋을 만큼 큰 눈이 착하게만 타고난 제 천성을 어쩌지 못한 채 나를 퍽 두려워하고 있었다. 술로 간을 키우지 않고는 남의 집 담을 못 넘을 정도라면 강력 범행을 도모하는 사람으로서는 처음부터 미역국이었다.

"일어날 테니까 칼을 약간만 뒤로 물려 주시오."

강도는 내가 시키는 대로 했다.

"내놔, 얼른 내노라니까."

내가 다 일어나 앉기를 기다려 강도가 속삭였다.

"하라는 대로 하죠. 허지만 당신도 내가 하라는 대로 해야만 일이 수월할 거요."

잔뜩 의심을 품고 쏘아보는 강도를 향해 나는 덧붙여 말했다.

"집 안에 현금은 변변찮소. 화장대 위에 돼지저금통하고 장롱 서랍 속에 아마 마누라가 쓰다 남은 돈이 약간 있을 거요. 그 밖에 돈이 될 만한 건 당신이 알아서 챙겨 가시오."

강도가 더욱 의심을 두고 경거히 움직이려 하지 않았으므로 나는 시험삼아 조금 신경질을 부려 보았다.

"마누라가 깨서 한바탕 소동을 벌여야만 시원하겠소? 난처해지기 전에 나를 믿고 일러 주는 대로 하는 게 당신한테 이로울 거요."

한차례 길게 심호흡을 뽑은 다음 강도는 마침내 결심을 했다는 듯이 이부자리를 돌아 화장대 쪽으로 향했다.

얌전히 구두까지 벗고 양말 바람으로 들어온 강도의 발을 나는 그 때 비로소 볼 수 있었다. 내가 그렇게 염려를 했는데도 강도는 와들와들 떨리는 다리를 옮기다가 그만 부주의하게 동준이의 발을 밟은 모양이었다. 동준이가 갑자기 칭얼거리자 그는 질겁을 하고 엎드리더니 녀석의 어깨를 토닥거리는 것이었다. 녀석이 도로 잠들기를 기다려 그는 복면 위로 칠칠하게 땀이 밴 얼굴을 들고 일어나서 내 위치를 흘끔 확인한 다음 본격적인 작업에 들어갔다.

터지려는 웃음을 꾹 참은 채 강도의 애교스런 행각을 시종 주목하고 있던 나는 살그머니 상체를 움직여 동준이를 잠재울 때 이부자리 위에 떨어뜨린 식칼을 집어들었다.

"연장을 이렇게 함부로 굴리는 걸 보니 당신 경력이 얼마나 되는지 알 만합니다."

내가 내미는 칼을 보고 그는 기절할 만큼 놀랐다. 나는 사람좋게 웃어 보이면서 칼을 받아 가라는 눈짓을 보였다. 그는 겁에 질려 잠시 망설이다가 내 재촉을 받고 후닥닥 달려들어 칼자루를 낚아채 가지고는 다시 내 멱을 겨누었다.

그가 고의로 사람을 찌를 만한 위인이 못 되는 줄 일찍이 간파했기 때문에 나는 칼을 되돌려준 걸 조금도 후회하지 않았다. 아니나다를까,

그는 식칼을 옆구리 쪽 허리띠에 차더니만 몹시 자존심이 상한 표정이 되었다.

"도둑맞을 물건 하나 제대로 없는 주제에 이죽거리긴!"

"그래서 경험 많은 친구들은 우리 집을 거들떠도 안 보고 그냥 지나치죠."

"누군 뭐 들어오고 싶어서 들어왔나? 피치 못할 사정 땜에 어쩔 수 없이……."

나는 강도를 안심시켜 편안한 맘으로 돌아가게 만들 절호의 기회라고 판단했다.

"그 피치 못할 사정이란 게 대개 그렇습디다. 가령 식구 중에 누군가가 몹시 아프다든가 빚에 몰려서……."

그 순간 강도의 눈이 의심의 빛으로 가득 찼다. 분개한 나머지 이가 딱딱 마주칠 정도로 떨면서 그는 대청마루를 향해 나갔다. 내 옆을 지나쳐갈 때 그의 몸에서는 역겨울 만큼 술냄새가 확 풍겼다. 그가 허둥지둥 끌어안고 나가는 건 틀림없이 갈기갈기 찢어진 한 줌의 자존심일 것이었다. 애당초 의도했던 바와는 달리 내 방법이 결국 그를 편안케 하긴커녕 외려 더욱더 낭패케 만들었음을 깨닫고 나는 그의 등을 향해 말했다.

"어렵다고 꼭 외로우란 법은 없어요. 혹 누가 압니까, 당신도 모르는 사이에 당신을 아끼는 어떤 이웃이 당신의 어려움을 덜어 주었을지?"

"개수작 마! 그 따위 이웃은 없다는 걸 난 똑똑히 봤어! 난 이제 아무도 안 믿어!"

그는 현관에 벗어 놓은 구두를 신고 있었다. 그 구두를 보기 위해 전등을 켜고 싶은 충동이 불현듯 일었으나 나는 꾹 눌러 참았다. 현관문을 열고 마당으로 내려선 다음 부주의하게도 그는 식칼을 들고 왔던 자기 본분을 망각하고 엉겁결에 문간방으로 들어가려 했다. 그의 실수를 지적하는 일은 훗날을 위해 나로서는 부득이한 조처였다.

"대문은 저쪽입니다."

문간방 부엌 앞에서 한동안 망연해 있다가 이윽고 그는 대문 쪽을 향해 느릿느릿 걷기 시작했다. 비틀비틀 걷기 시작했다. 대문에 다다르자 그는 상체를 뒤틀어 이쪽을 보았다.

"이래봬도 나 대학까지 나온 사람이오."

누가 뭐라고 그랬나. 느닷없이 그는 자기 학력을 밝히더니만 대문을 열고는 보안등 하나 없는 칠흑의 어둠 저편으로 자진해서 삼켜져 버렸다. 나는 대문을 잠그지 않았다. 그냥 지쳐 놓기만 하고 들어오면서 문간방에 들러 권씨가 아직도 귀가하지 않았음과 깜깜한 방 안에 어미 아비 없이 오뉘만이 새우잠을 자고 있음을 아울러 확인하고 나왔다. 아내가 잠옷 바람으로 팔짱을 끼고 현관 앞에 서 있었다.

"무슨 일이라도 있었어요?"

"아무것도 아냐."

잃은 물건이 하나도 없다. 돼지저금통도 화장대 위에 그대로 있다. 아무것도 아닐 수밖에. 다시 잠이 들기 전에 나는 아내에게 수술 보증금을 대납해 준 사실을 비로소 이야기했다. 한참 말이 없다가 아내는 벽 쪽으로 슬그머니 돌아누웠다.

"뗄 염려는 없어, 전셋돈이 있으니까."

"무슨 일이 있었군요?"

아내가 다시 이쪽으로 돌아누웠다. 우리 집에 들어왔던 한 어리숙한 강도에 관해서 나는 끝내 한마디도 내비치지 않았다.

이튿날 아침까지 권씨는 귀가해 있지 않았다. 출근하는 길에 병원에 들러 보았다. 수술 보증금을 구하러 병원 문밖을 나선 이후로 권씨가 거기에 재차 발걸음한 흔적은 어디에서도 찾아볼 수 없었다.

그 다음 날, 그 다음다음 날도 권씨는 귀가하지 않았다. 그가 행방불명이 된 것이 이제 분명해졌다.

그리고 본의는 그게 아니었다 해도 결과적으로 내 방법이 매우 졸렬했음도 이제 확연히 밝혀진 셈이었다. 복면 위로 드러난 두 눈을 보고 나는 그가 다름아닌 권씨임을 대뜸 알아차릴 수 있었다. 밝은 아침에 술이 깬 권씨가 전처럼 나를 떳떳이 대할 수 있게 하자면 복면의 사내를 끝까지 강도로 대우하는 그 길뿐이라고 판단했었다. 그래서 아무 일도 없었던 듯이 병원에 찾아가서 죽지 않은 아내와 새로 얻은 세 번째 아이를 만날 수 있게 되기를 기대했던 것이다.

현관에서 그의 구두를 확인해 보지 않은 것이 뒤늦게 후회되었다. 문간방으로 들어가려는 그를 차갑게 일깨워 준 것이 영 마음에 걸렸다. 어떤 근거인지는 몰라도 구두의 손질의 정도에 따라 그의 운명을 예측할 수도 있지 않았을까 하는 생각이 드는 것이었다. 구두코가 유리알처럼 반짝반짝 닦여져 있는 한 자존심은 그 이상으로 광발이 올려져 있었을 것이며, 그러면 나는 안심해도 좋았던 것이다.

그 때 그가 만약 마지막이란 걸 염두에 두고 있었다면 새끼들이 자는 방으로 들어가려는 길을 가로막는 그것이 그에게는 대체 무엇으로 느껴졌을 것인가. 아내가 병원을 다니러 가는 편에 아이들을 죄다 딸려 보낸 다음 나는 문간방을 샅샅이 뒤졌다. 방을 내준 후로 밝은 낮에 내부를 둘러보긴 처음인 셈이었다.

이사올 때 본 그대로 세간이라곤 깔고 덮는 데 쓰이는 것과 쌀을 익혀서 담는 몇 점 도구들이 전부였다. 별다른 이상은 눈에 띄지 않았다. 구태여 꼭 단서가 될 만한 흔적을 찾자면 그것은 구두일 것이었다. 가장 값나가는 세간의 자격으로 장롱 따위가 자리잡고 있을 데, 꼭 그런

자리에 아홉 켤레나 되는 구두들이 사열받는 병정들 모양으로 가지런히 놓여 있었다. 정갈하게 닦인 것이 여섯 켤레, 그리고 먼지를 덮어쓴 게 세 켤레였다. 모두 해서 열 켤레 가운데 마음에 드는 일곱 켤레를 골라 한꺼번에 손질을 해서 매일매일 갈아 신을 한 주일의 소용에 당해온 모양이었다. 잘 닦여진 일곱 중에서 비어 있는 하나를 생각하던 중 나는 한 켤레의 그 구두가 그렇게 쉽사리 돌아오지 않으리란 걸 알딸딸하게 깨달았다.

권씨의 행방불명을 알리지 않으면 안 될 때였다. 내 쪽에서 먼저 전화를 걸기는 그것이 처음이자 마지막이었다. 나는 되도록 침착해지려 노력하면서 내게, 이웃을 사랑하게 될 거라고 누차 장담한 바 있는 이 순경을 전화로 불렀다.

기억 속의 들꽃

한 떼거리의 피란민들이 머물다 떠난 자리에 소녀는 마치 처치하기 곤란한 짐짝처럼 되똑하니 남겨져 있었다. 정갈한 청소부가 어쩌다가 실수로 흘린 쓰레기 같기도 했다. 하얀 수염에 붉은 털옷을 입고 주로 굴뚝으로 드나든다는 서양의 어느 뚱뚱보 할아버지가 간밤에 도둑처럼 살그머니 남기고 간 선물 같기도 했다.

아무튼 소녀는 우리 마을 우리 또래의 아이들에게 어느 날 아침 갑자기 발견되었다. 선물치고는 무척이나 지저분하고 망측스러웠다. 미처 세수도 하지 못한 때꼽재기, 우리들 눈에 비친 그 애의 모습은 거의 거지나 다름없을 정도였다. 우리들 역시 그다지 깨끗한 편이 못 되는데도 그랬다. 먼저, 쫓기는 사람들의 무리가 드문드문 마을에 나타나기 시작했다. 그리고 곧 이어 포성이 울렸다. 돌산을 뚫느라고 멀리서 터뜨리는 남포의 소리처럼 은은한 포성이 울릴 때마다 집 안의 기둥이나 서까래가 울고 흙벽이 떨었다. 포성과 포성의 사이사이를 뚫고 피란민의 행렬이 줄지어 밀어닥쳤고, 마을에서 잠시 머물며 노독을 푸는 동안에 그들은 옷가지나 금붙이 따위의 물건을 식량하고 바꾸었다. 바꿀 만한 물건이 없는 사람들은 동냥을 하거나 훔치기도 했다. 그러다가 전보다 더 많은 사람들이 꽁무니에 포성을 매단 채 새롭게 밀어닥치면, 먼저 왔던 사람들은 들어올 당시와 마찬가지로 몇 가지 살림살이를 이고 지고 다시 홀연히 길을 떠났다.

어느 마을이나 다 사정이 비슷했지만, 특히 우리 마을로 유난히 피란민들이 많이 몰리는 것은 만경강다리 때문이었다. 북쪽에서 다리를 건너 남쪽으로 내려오다 보면 자연 우리 마을을 통과하도록 되어 있었다. 우리가 알기로는 세상에서 제일 긴 그 다리가 폭격에 의해 아깝게 끊어진 뒤에도 피란민들은 거룻배를 이용하여 계속 내려왔다. 인민군한테 앞지름을 당할 때까지 피란민들의 발길은 그치지 않고 있었다.

어른들은 피란민을 별로 달가워하지 않았다. 난생 처음 들어 보는 별의별 이상한 사투리를 쓰는 그들이 사랑방이나 헛간이나 혹은 마을 정자에서 묵다 떠나고 나면 으레 집 안에서 없어지는 물건이 생긴다는 것이었다. 굶주린 어린애를 앞세워 식량을 애원하는 그들 때문에 어른들은 골머리를 앓곤 했다. 언제 끝날지 모르는 전쟁 때문에 뒤주 속에 쌀바가지를 넣었다 꺼내는 어머니의 인심이 날로 얄팍해져 갔다.

그러나 우리 어린애들은 전혀 달랐다. 어른들 마음과는 아무 상관없이 누나와 나는 피란민들을 마냥 부러워하고 있었다. 세상의 저쪽 끝에서 와서 다른 저쪽 끝까지 가려는 사람들 같았다. 무거운 짐을 들고 불편한 몸을 이끌며 길을 떠나는 그들의 모습이 오히려 우리들 눈에는 새의 깃털만큼이나 가벼워 보였다. 그들처럼 마음 내키는 대로 세상을 여기저기 떨돌아다니지 않고 우리는 왜 마을에 붙박여 살아야 하는지 도무지 이해할 수가 없었다. 그래서 우리도 피란을 떠나자고 아버지한테 조르기로 작정했다.

"밥을 굶어야 된다. 밥도 안 먹고 잠도 안 자고, 알았지야? 툇돌에서 오줌 누고 뜰광에다 똥 싸고, 알았지야?"

삽짝 밖에서 누나가 내 귀에 대고 연방 끈끈한 목소리로 속삭였다. 집 안에서는 좀처럼 허락이 내리지 않았다.

아버지한테서 마침내 피란을 가도 좋다는 말이 떨어진 것은 만경강 다리가 무시무시한 폭격에 의해 허리를 잘리고 난 그 이튿날이었다. 아직은 제법 멀찌막에서 노는 줄만 알았던 전쟁이란 놈이, 어느 새 어깨동무라도 하려는 기세로 바투 다가와 있었으므로 우리 마을도 이젠 안심할 수가 없게 되었다. 그래서 아버지는 할머니편에 우리 오뉘를 묶어 마을에서 삼십여리 떨어진 고모네 집에 잠시 피란시킬 작정이었다. 아버지하고 어머니는 마을에 남아 집을 지키기로 이야기가 되었다.

간단한 옷보따리를 챙겨 누나와 나는 할머니의 손을 잡고 피란길을 떠났다. 그토록 바라고 바라던 피란인지라 누나와 나는 소풍이라도 떠나는 즐거운 기분이었다. 한길엔 한여름 햇볕만이 쨍쨍할 뿐 강아지 새끼 한 마리 얼씬하지 않았다. 소리개 한 마리가 멀리 보이는 길가 공동묘지 위에 높이 떠, 마치 하늘에다 못으로 고정시켜 놓은 박제의 표본인 양 오랫동안 꼼짝도 하지 않았다.

다 늦게 피란을 떠나는 사람은 아무도 없었다. 더구나 여느 피란민의 물결을 거슬러 북쪽을 향해서 먼 길을 가는 사람은 우리들뿐이었다. 고모네가 살고 있는 마을은 북쪽 산골이었다. 거기말고는 달리 피란갈 만한 데가 없었다. 적막에 싸인 공동묘지 옆을 지나면서도 나는 조금도 무서운 줄을 몰랐다. 남들처럼 우리도 지금 피란을 가고 있다는 흥분에 사로잡혀 임자 없는 무덤에 뻥 뚫린 여우 구멍을 보면서도 아무렇지도 않았다. 누나는 오히려 한수 더 떴다. 길가에서 아카시아 잎을 따 손에 들고 한 개씩 똑똑 떼내면서 누나는 학교 운동장에서나 하는 노래를 입속으로 흥얼거리고 있었다.

"여우야 여우야, 뭐 허어니? 밥먹느은다. 무슨 반찬? 개구리 반찬……. 이불 밑에 이 잡어먹고, 송장 밑에 피 빨어먹고……."

갑자기 누나가 노래를 뚝 그쳤다. 그 때 한길 저쪽 멀리에서 뿌연 먼지구름을 끌면서 달려오는 오토바이를 나는 보았다. 눈 깜짝할 사이에 나뭇가지와 잡초로 뒤덮인 두 개의 작은 언덕이 우리들 바로 코앞으로 확 다가들었다. 속력을 줄이는 척하다가 오토바이들은 양쪽 겨드랑이를 스칠 듯이 무서운 기세로 우리를 그냥 지나쳐 갔다. 오토바이가 지나갈 때 나는 초록 덤불로 그럴싸하게 잘 위장된 그 가짜 언덕 속에 숨어서 우리를 뚫어지게 쏘아보는 날카로운 눈초리와, 쇠붙이에 반사되는 햇빛의 파편들을 볼 수 있었다. 난생 처음 인민군하고 맞닥뜨리는 순간이었다. 몸채 옆구리에 행랑채까지 딸린 괴상한 모양의 오토바이들이 지나간 다음에도 우리는 한동안 손과 손을 맞잡은 채 부들부들 떨면서 한길 복판에 오도카니 서 있었다.

"이불 밑에 이 잡어먹고……."

누나의 입에서 간신히 이런 중얼거림이 흘러나왔다. 그것은 이미 노래가 아니었다. 누나는 얼이 쑥 빠진 눈동자를 하고 있었다.

"송장 밑에 피 빨아먹고……."

그러자 할머니의 손바닥이 냉큼 누나의 입을 틀어막았다. 잔뜩 부르쥔 누나의 주먹이 스르르 풀리면서 형편없이 짓눌린 아카시아 잎이 땅으로 떨어졌다. 누나와 나는 할머니로부터 무섭게 지청구를 먹어 가며 그러잖아도 빠른 걸음을 더욱 재우쳤다. 그러나 얼마 가지도 않아 우리는 다시 수많은 인민군들과 마주쳤다. 그들은 두 줄로 서서 양쪽 길가로 내려오고, 우리는 그 사이를 뚫고 도무지 떨어지지 않는 다리를 간신히 움직여 복판을 걸어갔다. 참으로 어처구니없는 피란길이었다. 북쪽을 향해서 피란을 가는 우리를 인민군들은 아무도 시비하지 않았다. 그들은 그저 까맣게 그은 얼굴을 들어 퀭한 눈으로 우리를 흘낏흘낏 곁눈질하면서 말없이 행군해 가고 있었다.

"죽어도 더는 못 가겠다. 해 넘기 전에 어서어서 집으로 돌아가자."

인민군의 굴 속을 겨우 빠져나왔을 때 할머니는 말했다. 우리는 한길을 피해서 논두렁과 밭고랑을 멀리 돌아 깜깜해진 뒤에야 가까스로 마을에 닿을 수 있었다. 내가 소녀를 맨 처음 발견한 것은 한나절로 끝나버린 그 우스꽝스런 피란길에서 돌아온 바로 그 이튿날이었다.

아침이었다. 마을엔 벌써 낯선 깃발이 펄럭이고 있었다. 마을 사람들이 재 너머 학교를 향해 몰려가고 있었다. 나는 삽짝을 젖히고 골목길로 나섰다.

"애."

생판 모르는 녀석이 간드러진 소리로 나를 부르고 있었다. 주제꼴은 꾀죄죄해도 곱살스런 얼굴에 꼭 계집애처럼 생긴 녀석이었다. 우선 생김새에서 풍기는, 어딘지 모르게 도시 아이다운 냄새가 나를 당황하도록 만들었다. 더구나 사람을 부르는 방식부터가 우리하고는 딴판이었다. 그처럼 교과서에서나 보던 서울 말씨로 나를 부른 아이는 아직껏 마을에 한 명도 없었던 것이다.

"왜 놀래니? 내가 무서워 보이니?"

조금도 무섭지는 않았다. 다만, 약간 얼떨떨한 기분일 뿐이었다. 피란민이 줄을 잇는 동안 갖가지 귀에 선 말씨들을 들어 왔으나, 녀석처럼 그렇게 착 감기는 목소리에 겁없는 눈빛을 보내는 아이는 처음이었다. 녀석은 토박이 아이들이 피란민 아이들한테 부리는 텃세가 조금도 두렵지 않은 모양이었다.

"너의 엄마, 집에 계시지?"

내가 잠시 어물거리는 사이에 녀석은 계속해서 계집애같이 앵앵거리면서 앞으로 다가왔다. 나는 얼김에 고개를 끄덕였다.

"엊저녁부터 굶었더니 배고파 죽겠다. 엄마한테 가서 밥 좀 달래자."

오히려 녀석이 앞장을 서고 내가 그 뒤를 따랐다. 나는 녀석의 바지

주머니가 불룩한 것을 보았다. 걸음을 옮길 적마다 불룩한 주머니가 연방 덜렁거리고 있었다. 틀림없이 간밤에 누구네 밭에서 서리를 한 설익은 참외 아니면 감자가 그 속에 들어 있을 것이었다.

"엄니! 엄니!"

마당에 들어서면서 어머니를 거푸 불렀다. 부엌에서 기명을 부시던 어머니가 무심코 마당을 내다보다가 내 등 뒤에서 쏙 볼가져 나오는 녀석을 발견하고는 대번에 질겁을 했다.

"아줌마, 안녕하세요?"

녀석은 천연덕스럽게 인사를 챙겼다.

"아아니, 요 작것이!"

어머니가 소맷부리를 걷으며 단숨에 마당으로 내달아 나왔다. 참외 서리나 하고 다니는 피란민 아이한테 어머니가 이제 곧 본때 있게 손찌검을 하려나 보다고 나는 지레짐작을 했다. 그런데 웬걸, 어머니는 녀석 대신 내 귀를 잡아끌고는 뒤란으로 향하는 것이었다.

"요 웬수야, 지 발로 들어와도 냉큼 쫓아내야 헐 놈을 어쩌자고, 어쩌자고……."

어머니는 내 머리통에 대고 거듭 군밤을 쥐어박았다. 도대체 어떻게 된 영문인지 전혀 깜깜이라서 울음보를 터뜨릴 수도 없는 노릇이었다.

"니가 상객으로 뫼셔 왔으니께 니가 멕여 살리거라!"

어머니는 다시 군밤을 먹이려다가 뒤란까지 따라온 서울 아이를 발견하고는 갑자기 손을 거두었다.

"아침상 버얼써 다 치웠다. 따른 집에나 가 보라."

어머니는 얼음처럼 차갑게 말했다.

"사내새끼가 똑 기집맹키로 야들야들허게 생긴 것이 영락없는 물빤드기고만……."

혼잣말을 구시렁거리며 어머니는 한껏 야멸찬 표정을 하고 도로 부엌으로 들어가려 했다.

"아줌마!"

이 때 녀석이 또 예의 그 계집애처럼 간드러진 소리로 어머니를 불러 세웠다.

"따른 집에나 가 보라니께!"

"아줌마한테 요걸 보여 주려구요."

녀석은 엄지와 인지를 붙여 동그라미를 만들어 보였다. 그 동그라미 위에 다른 또 하나의 작은 동그라미가 노란 빛깔을 띠면서 날름 올라앉아 있었다. 뒤란 그늘 속에서도 그것은 충분히 반짝이고 있었다. 그걸 보더니 어머니의 눈에 환하게 불이 켜졌다.

"아아니, 너, 고거 금가락지 아니냐!"

말이 채 끝나기도 전에 금반지는 어느 새 어머니의 손에 건너가 있었다. 솔개가 병아리를 낚아채어 어머니는 한참을 칩떠보고 내립떠보는가 하면, 혓바닥으로 침을 묻혀 무명 저고리 앞섶에 싹싹 문질러 보다가, 나중에는 이빨로 깨물어 보기까지 했다. 마침내 어머니의 얼굴에 만족스런 미소가 떠올랐다.

"아가, 너 요런 것 어디서 났냐?"

옷고름의 실밥을 뜯어 그 속에 얼른 금반지를 넣고 웅숭깊은 저 밑바닥까지 확실히 닿도록 두어 번 흔들고 나서 어머니는 서울 아이한테 물었다. 놀랍게도 어머니의 목소리는 서울 아이의 그것보다 훨씬 더 간드러지게 들렸다.

"땅바닥에서 주웠어요. 숙부네가 떠난 담에 그 자리에 가 봤더니 글쎄 요게 떨어져 있잖아요?"

녀석이 이젠 아주 의기양양한 태도로 당당하게 대답했다.

그 말을 어머니는 별로 귀담아듣는 기색이 아니었다. 어머니는 연방 벙글벙글 웃어 가며 녀석의 잔등을 요란스럽게 토닥거리고 쓰다듬어 주는 것이었다.

"아가, 요담번에 또 요런 것 생기거들랑 다른 누구 말고 꼬옥 이 아줌니한테 가져와야 된다. 알었냐?"

"네, 꼭 그렇게 하겠어요."

다음에 다시 금반지를 줍기로 무슨 예정이라도 되어 있는 듯이 녀석의 입에서는 대답이 무척 시원스럽게 나왔다.

"어서어서 방 안으로 들어가자. 에린것이 천리 타관서 부모 잃고 식구 놓치고 얼매나 배고프고 속이 짜겄냐?"

이런 곡절 끝에 명선이는 우리 집에서 살게 되었다. 마지막으로 마을에 남게 된 유일한 피란민이었다. 인민군한테 발뒤꿈치를 밟혀 가며 피란을 내려왔던 명선네 친척들은 역시 인민군보다 한걸음 앞서 부랴사랴 우리 마을을 떠나면서 명선이를 버리고 갔다. 그래서 명선이는 피란민 일가가 묵다가 떠난 자리에서 동네 사람들에 의해 하나의 골치 아픈 뒤퉁거리로 발견되었다. 누나하고 내가 할머니를 따라 피란을 떠나던 바로 그 날 아침의 일이었다.

명선이는 누나나 나하고 같은 방 쓰기를 바라는 눈치였다. 그러나 어머니는 먼촌 일가로 어린 나이에 우리 집에 와서 말만한 처녀가 되기까지 부엌데기 노릇 하는 정님이한테 명선이를 내맡겨 버렸다. 당분간 집에서 머슴처럼 부리면서 제 밥값이나 하도록 하자고 어머니와 아버지가 공론하는 소리를 나는 밤중에 얼핏 들을 수 있었다.

애당초 명선이를 머슴으로 부리려던 어른들의 생각은 크게 잘못이었다. 세상의 어떤 끈으로도 그 애를 한 곳에 얌전히 붙들어 둘 수 없음이 이내 밝혀졌다. 쇠여물로 쓸 꼴이라도 베어 오라고 낫과 망태기를 쥐어 주면 그걸 그 애는 아무 데나 내버리고 누나와 내 뒤를 기를 쓰고 쫓아 오고는 했다. 한번도 해 보지 않은 일이라서 죽어도 못하겠다는 것이었 다. 그 애가 자신 있게 할 수 있는 일이란 그저 먹고 노는 것뿐이었다.

흔히 닭들이 그러듯이 혹은 개들이 그러듯이 동네 아이들의 텃세가 갈수록 우심해져서 아무도 명선이를 패거리에 넣어 주려 하지 않았다. 어느 날, 명선이는 유독 까탈스럽게 구는 어떤 아이하고 대판거리로 싸 움을 했다. 싸움을 하는데 역시 생긴 모양에 어울리게 상대방의 얼굴을 손톱으로 할퀴고 머리끄덩이를 잡는 바람에 우리 또래 사이에서 크나큰 웃음거리가 되었다.

서울 아이들은 싸움도 가시내처럼 간사스럽게 하는 모양이었다. 상대 방이 딴죽을 걸어 넘어뜨리고 위에서 덮쳐 누르자, 한창 열세에 몰려 맥 을 못 추던 명선이가 별안간 날라리 소리 비슷한 괴상한 비명과 함께 엄 청난 기운으로 상대방의 몸뚱이를 벌렁 떠둥그뜨려 버렸다. 첫 번째 싸 움에서 명선이는 승리자가 되었다. 그리고 그 후로 계속된 두 번째, 세 번째 싸움에서도 으레 상대방의 밑에 깔렸다가 무서운 힘으로 떨치고 일어나서는 승리를 했다.

어느 날, 명선이는 부모가 죽던 순간을 나에게 이야기했다. 피란길에 서 공습을 만나 가까운 곳에 폭탄이 떨어졌는데, 한참 정신을 잃었다가 깨어나 보니 어머니의 커다란 몸뚱이가 숨도 못 쉴 정도로 전신을 무겁 게 덮어 누르고 있더라는 것이었다.

"그래서 마구 소릴 지르면서 엄마를 떠밀었단다. 난 그 때 엄마가 죽
　은 줄도 몰랐어."

그리고 명선이는 숙부네가 저를 버리고 도망치던 때의 이야기도 들려 주었다.

"실은 말이지, 숙부가 날 몰래 내버리고 도망친 게 아니라 내가 숙부

한테서 도망친 거야. 숙부는 기회만 있으면 날 죽일라구 그랬거든."

숙부가 널 죽이려 한 이유가 뭐냐는 내 질문에 그 애는 무심코 대답하려다 말고 갑자기 입을 꾹 다물더니만, 언제까지고 나를 경계하는 눈으로 잔뜩 노려보고 있었다.

같은 방을 쓰는 정님이가 어머니한테 불평을 늘어놓기 시작했다.

원래 잠버릇이 험한 정님이가 어쩌다 다리를 올려놓으면 명선이는 비명을 꽥꽥 지르며 벌떡 일어나 눈에다 불을 켜고 노려본다는 하소연이었다. 오랫동안 옷을 갈아입지 않아 명선이 몸에서 지독한 냄새가 난다고 정님이는 오만상을 찡그리기도 했다. 갈아입을 여벌의 옷이 없는 줄 번연히 알면서도 정님이가 그처럼 사사건건 트집을 잡는 까닭은 나이 때문에 내외를 시작한 탓이라고 어머니가 말했다. 머슴애하고 어떻게 한 방을 쓰란 말이냐고 정님이는 처음부터 울상을 지었던 것이다. 가슴이 얼른 알아보게 봉긋 솟고 엉덩이가 제법 펑퍼짐해서 정님이는 이제 처녀티가 완연해져 있었다.

오래지 않아 명선이를 머슴으로 부리려던 속셈을 어머니는 깨끗이 포기했다. 괜히 말썽이나 부리고 펀둥펀둥 놀면서 삼시 세 끼 밥이나 축내는 그 뒤퉁거리를 어떻게 하면 내쫓을 수 있을까 하고 궁리하는 게 어머니의 일과였다. 아버지 앞에서 어머니는 그 동안 먹여 주고 재워 준 값과 금반지 한 개의 값어치를 면밀히 따지기 시작했다.

"천지신명을 두고 허는 말이지만 갸한티 죄로 가지 않을 만침 헌다고 혔구만요."

"허기사 난리 때 금가락지 한 돈쭝은 똥가락지여. 금 먹고 금똥 싼다면 혹 몰라도…… 쌀톨이 금쪽보다 귀헌 세상인디……."

"그러니 저 작것을 어쩌지요?"

"밥을 굶겨 봐. 지가 배고프고 허기지면 더 있으래도 지 발로 나가겄지."

"갸가 나가겠소? 물빤드기마냥 빤들거림시로 무슨 수를 써서라도 절
대 안 굶을 아요."

어머니의 판단이 전적으로 옳았다. 끼니때만 되면 눈알을 딱 부릅뜨
고 부엌 사정을 낱낱이 감시하다가 염치 불구하고 밥상머리를 안 떠나
는 명선이를 두고 우리는 차마 밥덩이를 목구멍으로 넘길 수가 없었다.

갈수록 밥 얻어먹는 설움이 심해지자, 하루는 또 명선이가 금반지 하
나를 슬그머니 내밀어 왔다. 먼젓번 것보다 약간 굵어 보였다. 찬찬히
살피고 나더니 어머니는 한 돈하고도 반짜리라고 조심스럽게 감정을 내
렸다.

"길에서 주웠다니까요."

어머니의 다그침에 명선이는 천역덕스럽게 대꾸했다.

"거참, 요상도 허다. 따른 사람은 눈을 까뒤집어도 안 되는 노다지가
어째 니 눈에만 유독 들어온다냐?"

어머니는 명선이가 지껄이는 말을 하나도 믿으려 하지 않았다. 명선
이가 처음 금반지를 주워 왔을 때처럼 흥분하거나 즐거워하는 기색도
아니었다. 명선이의 얼굴을 유심히 들여다보는 어머니의 눈엔 크고 작
은 의심들이 호박처럼 올망졸망 매달려 있었다. 그날 밤에 아버지는 명
선이를 안방으로 불러 아랫목에 앉혀 놓고, 밤늦도록 타일러도 보고 으
름장도 놓아 보았다. 하지만, 명선이의 대답은 한결같았다.

"거짓말이 아니라구요. 참말이라구요. 길에서 놀다가……."

"너 이놈, 바른대로 대지 못허까!"

아버지의 호통 소리에 명선이는 비죽비죽 울기 시작했다. 우는 명선
이를 아버지는 또 부드러운 말로 달래기 시작했다.

"말은 안혔어도 너를 친자식 진배없이 생각혀 왔다. 너 같은 어린것

이 그런 물건 갖고 있으면은 덜 좋은 법이다. 이 아저씨가 잘 맡아 놨다가 후제 크면 줄 테니까 얻다 숨겼는지 바른대로 대거라."

아무리 달래고 타일러도 소용이 없자, 아버지는 마침내 화를 버럭 내면서 명선이의 몸뚱이를 뒤지려 했다. 아버지의 손이 옷에 닿기 전에 명선이는 미꾸라지같이 안방을 빠져나가 자취를 감추어 버렸다. 그리고 그날 밤 끝내 우리 집에 돌아오지 않았다.

"틀림없다. 몇 개나 되는지는 몰라도 더 있을 게다. 어디다 감췄는지 니가 살살 알아봐라. 혼자서 어딜 가거든 눈치 안 채게 따러가 봐라."

입맛을 쩝쩝 다시던 아버지는 나한테 이렇게 분부했다.

"옷 속에다 누볐는지도 모른다."

어머니가 옆에서 거들었다. 어머니 역시 아버지 못잖게 아쉬운 표정이었다. 아버지의 이마에서는 땀방울이 찌걱찌걱 배어 나오고 있었다. 아버지는 벌겋게 충혈된 눈을 등잔 불빛에 번들번들 빛내면서 숨을 씩씩거렸다. 꼭 무슨 일을 저지르고야 말 것만 같은 모습이었다.

그 이튿날 점심 무렵부터 명선이에 관한 소문이 마을에 파다하게 퍼졌다. 난리통에 혈혈단신이 된 서울 아이가 금반지를 많이 가지고 있다는 이야기였다. 어떤 사람들은 그 아이가 열 개도 넘는 금반지를 저만 아는 곳에 꽁꽁 감춰 두고 하나씩 꺼낸다더라고 쑤군거리기도 했다. 입이 방정이라고 정님이가 어머니한테 호되게 꾸중을 들었다. 어머니의 지시에 따라 누나와 나는 돌아오지 않는 명선이를 찾아 마을 안팎을 온통 헤매고 다녔다. 낮더위가 한풀 꺾이고 어둠발이 켜켜이 내려앉을 무렵에야 명선이는 당산 숲 속에서 발견되었다. 우리가 그 애를 찾아낸 것이 아니라, 그 애가 돼지 멱따는 소리로 한바탕 비명을 질러 사람들을 불러모은 결과였다. 이 나무 저 나무 옮아다니는 매미처럼 당산 숲 속을 팔모로 헤집고 다니며 거듭거듭 내지르는 비명 소리를 듣고서 맨 처음 달려간 사람들 축에 아버지도 끼여 있었다.

"너그 놈들이 누구누군지 내 다 안다아! 어디 사는 누군지 내 다 봐 뒀으니께 날만 샜다 허면 물고를 낼 것이다아!"

해뜩해뜩 뒷모습을 보이며 당산 골짜기 어둠 속으로 꽁지가 빠지게 달아나는 남자들을 향해 아버지는 길길이 뛰며 입에 거품을 물었다.

"아가, 이자 아모 염려 없다. 어서 내려오니라, 어서."

한 걸음 뒤늦어 득달같이 달려온 어머니가 소나무 위를 까마득히 올려다보며 한껏 보드라운 말씨로 달랬다. 소나무 둥치에 딱정벌레처럼 달라붙어 꼼짝도 않는 하얀 궁둥이가 보였다. 놀랍게도 명선이는 시원스런 알몸뚱이로 있었다. 어느 겨를에 어떻게 거기까지 기어 올라갔는지 명선이는 까마득한 높이에 매달려 홀랑 벌거벗은 채 흐느끼고 있었다. 아무리 내려오라고 타일러도 반응이 없자, 아버지가 팔소매를 걷어붙이고 올라가, 위험을 무릅쓰고 곡예라도 하듯이 그 애를 등에 업고 내려왔다.

"오매오매, 쟈가 지집애 아녀!"

땅에 내려서기 무섭게 얼른 돌아서며 사타귀를 가리는 명선이를 보고 누군가가 이렇게 고함을 질렀다. 나 또한 초저녁 어스름 속에 얼핏 스쳐 지나가는 눈길만으로도 그 애한테는 고추가 없다는 사실을 넉넉히 알아차릴 수 있었다.

"그러게 말이네. 머슴앤 줄만 알었더니 인제 보니 지집애구먼."

"참말로 재변이네, 재변이여!"

모여 서 있던 마을 사람들이 저마다 탄성을 지르며 혀를 찼다. 어머니가 잽싸게 치마폭으로 명선이의 알몸을 감쌌다. 모닥불이라도 뒤집어 쓴 것 같이 공연히 얼굴이 화끈거려서 나는 차마 명선이를 바로 볼 수가 없었다.

"요, 요것이, 개패같이 달린 요것이 뭣이디야!"

명선이의 하얀 가슴께를 들여다보며 어머니가 소리를 질렀다. 곁에 있던 아버지가 얼른 그것을 가리려는 명선이의 손을 뿌리치고 뚝 잡아챘다. 줄에 매달린 이름표 같은 것이었다. 아직도 한 줌의 빛살이 옹색하게 남아 있는 서쪽 하늘에 대고 거기에 적힌 글씨를 읽은 다음, 아버지는 마치 무슨 보물섬의 지도나 되듯 소중스레 바지춤에 찔러 넣었다. 그리고 마을 사람들을 향해 돌아서면서 눈을 딱 부릅떠 엄포를 놓는 것이었다.

"나허고 원수 척질 생각 아니면 앞으로 야한티 터럭손 하나 건딜지 마시오!"

언젠가 가뭄 흉년 때 이웃 논의 임자하고 물꼬 싸움을 벌이면서 시퍼렇게 삽날을 들이대던 그 때의 그 표정보다 훨씬 포악해 보였다. 우리 논에 떨어지는 빗물이나 마찬가지로 아버지는 우리 집안에 우연히 굴러들어온 명선이의 소유권을 마을 사람들 앞에서 우격다짐으로 가리고 있었다.

"우리가 친자식 이상으로 애끼고 기르는 아요. 만에 일이라도 야한티 해꼬지헐라거든 앙화가 무섭다는 걸 멩심허시오!"

덩달아 어머니도 위협을 잊지 않았다. 명선이가 입은 손해는 바로 우리 집안의 손해나 마찬가지라는 주장이었다. 물론 어머니는 명선이 때문에 생기는 이익이 곧바로 우리 이익이란 말은 입 밖에 비치지도 않았다.

사람들을 따돌리고 집 안에 들어서자마자, 어머니는 더 이상 참지를 못하고 아버지한테 다그쳤다.

"개패에 무신 사연이 적혔든가요?"

"갸네 부모가 쓴 편지여."

"누구한티요?"

"누구긴 누구여, 나지."

"오매, 그 사람들이 어떻게 알고 당신한티 편지를……."

"이런 딱헌 사람 봤나? 아, 갸를 맡어서 기를 사람한티 쓴 편지니께 받는 사람이 나지 누구겠어?"

"뭐라고 썼습디여?"

"자기네가 혹 난리 바람에 무슨 일이라도 당허게 되면 무남독녀 혈육을 부탁헌다고, 저승에 가서도 그 은혜는 잊지 않겠다고, 서울 어디 사는 누네 딸이고, 본관이 어디고, 생일이 언제라고……."

"가락지 말은 안 썼어라우?"

"안 썼어."

아버지는 딱 잘라 대답했다. 그러나 다음 순간, 아버지는 득의연한 미소와 함께 어머니한테 나직이 속삭이고 있었다.

"금가락지 말은 없어도, 저 먹을 건 다소 딸려 났다고 써 있어. 사연이 복잡헌 부잣집인 것만은 틀림없다고."

명선이를 달아나지 못하게 감시하는 새로운 임무가 나한테 주어졌다. 우리 식구 모두는 상전을 모시듯이 명선이에게 한결같이 친절했다. 동네 사람 어느 누구도 감히 넘볼 마음을 못 먹도록 뚝심 좋은 아버지는 그 애의 주의에 이중 삼중으로 보호의 울타리를 쳐 놓고도 언제나 안심하지 못했다. 나는 그 애의 그림자 노릇을 착실히 했다. 그러나 금반지를 어디다 감춰 뒀는지 그것만은 차마 묻지를 못했다. 시간이 흐를수록 그 애는 내 사투리를 닮아 가고, 나는 반대로 그 애의 서울말을 어색하게 흉내내기 시작했다.

타고난 본래의 여자 모양을 되찾은 후에도 명선이는 갈데없는 머슴애였다. 하는 짓거리마다 시골 아이들 뺨치는 개구쟁이였고, 토박이의 텃세를 계집애라는 이유로 쉽사리 물리칠 수 있게 되면서부터 온갖 망나

니짓에 오히려 우리의 앞장을 서곤 했다. 다람쥐처럼 나무도 뽀르르 잘 타고, 둠벙에서는 물오리나 다름없이 헤엄도 잘 쳤다. 수놈 날개에 노랗게 호박 꽃가루를 칠해서 암놈으로 위장하여 왕잠자리를 우리보다 솜씨 있게 낚는가 하면, 남의 집 울타리에 달린 호박에 말뚝도 박고, 여름 밤에 개똥벌레를 여러 마리 종이 봉지 안에 가두어 어른이 담뱃불 흔드는 시늉을 하면서 다가와 술래를 따돌리는 재간도 부릴 줄 알았다. 인공 치하에서 학교가 쉬는 동안을 우리는 마냥 키드득거리며 떼뭉쳐 어울려 다녔다. 심심할 때마다 명선이는 나를 끌고 끊어진 만경강 다리로 놀러 가곤 했다. 계집애답지 않게 배짱도 여간이 아니어서, 그 애는 아무도 흉내낼 수 없는 위험천만한 곡예를 부서진 다리 위에서 예사로 벌여 우리의 입을 딱 벌어지게 만드는 것이었다.

"누가 제일 멀리 가는지 내기하는 거다."

폭격으로 망가진 그대로 기나긴 다리는 방치되어 있었다. 난간이 떨어져 달아나고, 바닥에 커다란 구멍들이 뻥뻥 뚫린 채 쌀뜨물보다도 흐린 싯누런 물결이 일렁이는 강심 쪽을 향해 곧장 뻗어 나가다 갑자기 앙상한 철근을 엿가락 모양으로 어지럽게 늘어뜨리면서 다리는 끊겨져 있었다. 얽히고 설킨 철근의 거미줄이 간댕간댕 허공을 가로지르고 있는 마지막 그 곳까지 기어가는 내기였다. 그리고 내기에서 승리자는 언제나 명선이였다. 웬만한 배짱이라면 구멍이 숭숭 뚫린 콘크리트 바닥을 기는 것은 누구나 할 수 있는 일이었다. 하지만, 콘크리트가 끝나면서 강바닥이 까마득한 간격을 두고 저 아래에서 빙글빙글 맴을 도는 철골 근처에 다다르면 누구나 오금이 굳고 팔이 떨려 한 발짝도 더는 나갈 수가 없었다. 오로지 명선이 혼자만이 얼키설키 허공을 건너지른 엿가락 같은 철근에 위태롭게 매달려 세차게 불어 대는 강바람에 누나한테 얻어입은 치마 자락을 펄렁거리며 끝까지 다 건너가서 지옥의 저쪽 가장자리에 날름 올라앉아 귀신인 양 이쪽을 보고 낄낄거리는 것이었다. 그렇게 낄낄거리며 우리들 머슴애의 용기 없음을 놀릴 때 그 애의 몸뚱이는 마치 널을 뛰듯이 위아래로 훌쩍훌쩍 까불리면서 구부러진 철근의 탄력에 한바탕씩 놀아나고 있었다.

어느 날, 나는 명선이하고 단둘이서만 다리에 간 일이 있었다. 그 때도 그 애는 나한테 내기를 걸어 왔다. 나는 남자로서의 위신을 걸고 명선이의 비아냥거림 앞에서 최선의 노력을 다해 봤으나, 결국 강바닥에 깔린 뽕나무밭이 갑자기 거대한 팽이가 되어 어찔어찔 맴도는 걸 보고 뒤로 물러서지 않을 수 없었다. 이젠 명선이한테서 겁쟁이라고 꼼짝없이 수모를 당할 차례였다.

"야아, 저게 무슨 꽃이지?"

그런데 그 애는 놀림 대신 갑자기 뚱딴지 같은 소리를 질렀다. 말 타듯이 철근 뭉치에 올라앉아서 그 애가 손가락으로 가리키는 곳을 내려다보았다. 거대한 교각 바로 위, 무너져 내리다 만 콘크리트 더미에 이전에 보이지 않던 꽃송이 하나가 피어 있었다. 바람을 타고 온 꽃씨 한 알이 교각 위에 두껍게 쌓인 먼지 속에 어느 새 뿌리를 내린 모양이었다.

"꽃 이름이 뭔지 아니?"

난생 처음 보는 듯한, 해바라기를 축소해 놓은 모양의 동전만한 들꽃이었다.

"쥐바라숭꽃……"

나는 간신히 대답했다. 시골에서 볼 수 있는 거라면 명선이는 내가 뭐든지 다 알고 있다고 믿는 눈치였다. 쥐바라숭이란 이 세상엔 없는 꽃 이름이었다. 엉겁결에 어떻게 그런 이름을 지어 낼 수 있었는지 나 자신도 어리벙벙할 지경이었다.

"쥐바라숭꽃…… 이름처럼 정말 이쁜 꽃이구나. 참 앙증맞게두 생겼다."

또 한바탕 위험한 곡예 끝에 그 애는 기어코 그 쥐바라숭꽃을 꺾어 올려 손에 들고는 냄새를 맡아 보다가, 손바닥 사이에 넣어 대궁을 비벼서 양산처럼 팽글팽글 돌리다가 끝내는 머리에 꽂는 것이었다. 다시 이 쪽으로 건너오려는데, 이 때 바람이 휙 불어 명선이의 치맛자락이 훌렁 들리면서 머리에서 꽃이 떨어졌다. 나는 해바라기 모양의 그 작고 노란 쥐바라숭꽃 한 송이가 바람에 날려, 싯누런 흙탕물이 도도히 흐르는 강심을 향해 바람개비처럼 맴돌며 떨어져 내리는 모양을 아찔한 현기증을 느끼며 지켜보고 있었다.

우리가 명선이한테서 순순히 얻어 낸 금반지는 두 번째 것으로 마지막이었다. 아버지와 어머니가 온갖 지혜를 짜내어 백방으로 숨겨 둔 장소를 알아내려 안간힘을 다해 보았으나, 금반지 근처에만 얘기가 닿아도 명선이는 입을 굳게 다문 채 침묵 속의 도리질로 완강히 버티곤 했다.

날이 가고 달이 갔다. 어느덧 초가을로 접어드는 날씨였다. 남쪽에서 쳐 올라오는 국방군에 밀려 인민군이 쫓겨가기 시작한다는 소문이 돌았다. 생각보다 전쟁이 일찍 끝나, 남쪽으로 피란갔던 명선이네 숙부가 어느 날 불쑥 마을에 다시 나타날 경우를 생각하면서 어머니는 딱할 정도로 조바심치기 시작했다. 내가 벌써 귀띔을 해 줘서 어른들은 명선이가 숙부로부터 버림받은 게 아니라 스스로 도망쳤다는 사실을 이미 알고 있었다. 전쟁이 끝나기 전에 어떻게 하든 명선이의 입을 열게 하려고 아버지는 수단 방법을 안 가릴 기세였다.

그 날도 나는 명선이와 함께 부서진 다리에 가서 놀고 있었다. 예의 위험천만한 곡예 장난을 명선이는 한창 즐기는 중이었다. 콘크리트 부위를 벗어나 그 애가 앙상한 철근을 타고 거미처럼 지옥의 가장귀를 향해 조마조마하게 건너갈 때였다. 그 때 우리들 머리 위의 하늘을 두 쪽으로 가르는 굉장한 폭음이 귀뺨을 갈기는 기세로 갑자기 울렸다. 푸른 하늘 바탕을 질러 하얗게 호주기 편대가 떠 가고 있었다. 비행기의 폭음에 가려 나는 철근 사이에서 울리는 비명을 거의 듣지 못했다. 다른 것은 도무지 무서워할 줄 모르면서도 유독 비행기만은 병적으로 겁을 내는 서울 아이한테 얼핏 생각이 미쳐, 눈길을 하늘에서 허리가 동강이 난 다리로 끌어내렸을 때, 내가 본 것은 강심을 겨냥하고 빠른 속도로 멀어져 가는 한 송이 쥐바라숭꽃이었다.

명선이가 들꽃이 되어 사라진 후, 어느 날 한적한 오후에 나는 그 때까지도 한 번도 성공한 적이 없는 모험을 혼자서 시도해 보았다. 겁쟁이라고 비웃는 사람이 아무도 없으니까 의외로 용기가 나고 마음이 차갑게 가라앉는 것이었다. 나는 눈에 띄는 그 즉시 거대한 팽이로 둔갑해 버리는 까마득한 강바닥을 보지 않으려고 생땀을 흘렸다. 엿가락처럼 흘러내리다가 그 밑을 가로지르는 다른 선 위에 얹혀 다시 오르막을 타는 녹슨 철근의 우툴두툴한 표면만을 무섭게 응시하면서 한 뼘 한 뼘 신중히 건너갔다. 철근의 끝에 가까이 갈수록 강바람을 맞는 몸뚱이가 사정없이 까불렸다. 그러나 나는 천신만고 끝에 마침내 그 일을 해내고 말았다. 이젠 어느 누구도, 제아무리 쥐바라숭꽃일지라도 나를 비웃을 수는 없게 되었다.

지옥의 가장귀를 타고 앉아 잠시 숨을 고른 다음 바로 되돌아 나오려는데, 그 때 이상한 물건이 얼핏 시야에 들어왔다. 낚시바늘 모양으로 꼬부라진 철근의 끝자락에다 천으로 친친 동여맨 자그만 헝겊 주머니였다. 명선이가 들꽃을 꺾던 때보다 더 위태로운 동작으로 나는 주머니를 어렵게 손에 넣었다. 가슴을 잡죄는 긴장 때문에 주머니를 열어 보는 내 손이 무섭게 경풍을 일으키고 있었다. 그리고 그 주머니 속에서 말갛게 빛을 발하는 동그라미 몇 개를 보는 순간, 나는 손에 든 물건을 송두리째 강물에 떨어뜨리고 말았다.

작품 알아보기
(단편 문학)

〈무진기행〉은 감각적이며 탄력적인 사건 전개, 4·19혁명의 좌절에서 비롯된 냉소적인 시선 등이 잘 드러난 작품이다. 소설 속에 나오는 '무진'은 일종의 허위 의식을 상징한다. 부유한 미망인과 결혼한 윤희중은 고향 무진으로 귀향했다가, 음악 선생 하인숙과 의미없는 사랑을 나누고 서울로 돌아간다. 그는 또 다시 비겁한 타협을 하고 있는 자신에게 부끄러움을 느낀다.

〈서울, 1964년 겨울〉은 욕망의 집결지인 서울을 배경으로, 비인간화되어 가는 사람들의 모습을 보여 준다. 우연히 만난 '우리 세 사람'은 익명으로만 존재한다. 타인의 고통을 이해하는 일에 서투른 현대인의 모습이 잘 드러난 작품이다.

〈숨쉬는 영정〉은 피란길에 헤어진 태규와 재규 형제가 영정으로 만난다는 이야기이다. 재규는 적십자사에서 초조하게 형 태규를 기다리다가 형이 죽었다는 소식을 듣는다. 그는 형의 영정을 끌어안고 울음을 터뜨린다.

〈화무십일〉은 1972년부터 1977년까지 발표된 여덟 편의 연작 소설 〈관촌수필〉의 두 번째 이야기이다. 6·25전쟁을 통하여 윤 영감 일가가 겪는 고난과 비극적 가족 관계를 회상하는 내용으로, 산업화로 인하여 농촌 공동체가 붕괴되어 가는 모습이 잘 드러나 있다.

〈아홉 켤레의 구두로 남은 사나이〉는 연약한 소시민이 현실과 싸우는 적극적인 인간으로 변해 가는 과정을 보여 준다. 작가는 소시민의 눈에 비친 도시 빈민의 모습을 관찰하는데, 소시민적 갈등의 진정성이야말로 윤흥길 문학의 핵심 주제이다. 〈기억 속의 들꽃〉은 전쟁 고아가 된 소녀 명선의 이야기로, 어른들이 가진 추악한 이기심과 욕망을 드러낸다. 동네 사람들은 명선이 가진 금반지에 눈독을 들이고, 끊어진 다리에서 곡예를 하던 명선은 떨어져 죽는다.

논술 길잡이
(단편 문학)

❶ 〈숨 쉬는 영정〉의 마지막 장면이다. 몇십 년 만에 소식을 알아낸 형을 영정으로 만날 수밖에 없는 재규의 심정을 상상하여 써 보자.

논술 길잡이
(단편 문학)

❷ 〈서울, 1964년 겨울〉은 제목에 작품의 모든 것이 함축되어 있다. 서울이라는 공간, 1964년이라는 시간, 겨울이라는 계절이 각각 의미하는 것은 무엇인지 써 보자.

....

....

....

....

❸ 〈기억 속의 들꽃〉에서 명선은 콘크리트 더미 속에 핀 쥐바라숭꽃을 바라보는 장면이 있다. 평소의 명선의 모습과 어떻게 다른지 비교해 보자.

....

....

....

....

....

논·술·한·국·대·표·문·학 〈전60권〉

펴 낸 이	정재상
펴 낸 곳	훈민출판사
주 소	경기도 고양시 덕양구 원당동 416번지
대 표 전 화	(031)962-3888
팩 스	(031)962-9998
출 판 등 록	제395-2003-000042호